新型コロナはアートをどう変えるか

宮津大輔

光文社新書

はじめに

新型コロナウイルス（SARS-CoV-2、以下、コロナウイルス）の感染による新型コロナウイルス感染症（以下、ＣＯＶＩＤ‐19）は、２０１９年11月22日に中華人民共和国（以下、中国）の湖北省武漢市で、「原因不明のウイルス性肺炎」として最初の症例が確認されて以降、同市内から中国大陸全土に拡がり、その後瞬く間に世界中へと拡大していきました。

世界のアート市場規模はコロナウイルス感染拡大前まで、中国を中心とする華僑・華人を含むアジア、並びに中東産油国の旺盛な購買意欲に牽引され、オークション・ベースだけでも7兆３０００億円（２０１８年）に上っていました。

一方、日本国内の市場は３３４１億円（内、美術品市場は２４３１億円、第２章で詳述）といわれ、とても世界第3位の経済大国に相応しい規模とはいえませんでした。

しかしながら、ニューヨークやロンドンのオークション会場では、ファッション通販サイトの創業者がジャン＝ミシェル・バスキアの《無題》（１９８２年）を１２３億円で購入、最近では約40億円で落札されたクロード・モネの《デュカール宮殿》（１９０８年）を、最後まで競ったのが日本人であったといわれるなど、その存在感を徐々に示していたのも事実です。

その金融的価値と地域興しの切り札として、アート作品は世界中でますます注目されており、国内ではようやくバブル経済崩壊後の長い呪縛から解き放たれつつありました。

しかし、そうした状況下で、アートを巡る経済諸活動に急ブレーキをかけたのがコロナウイルスの蔓延でした。世界経済全体へのダメージは、日本一国のＧＤＰに相当する5兆ドル（約５４０兆円）を上回ると予想されています。また、以前の成長ペースを取り戻すのは、早くても２０２２年以降になるとの見方が大勢を占めています。


本書では、まず紀元前から現在に至るまで、人類が芸術をもっていかに疫病を描出してきたのかを、現代のコロナ禍と比較しながら振り返ります。

続く第2章では、今回のパンデミックがアート市場にどのような影響を与え、また、それらが社会に対して何をもたらすのか、様々な事例から分析するとともに、グローバルなキー・プレイヤーたちの証言を交え明らかにします。

第3章ではウィズ／ポスト・コロナ時代のアート市場と、それを取り巻く社会・経済環境について、豊富なデータを用いて多視点から予想します。終章では、アーティストやクリエーターたちが、人新世[*1]における最初の転換点＝コロナ禍といかに対峙してきたのか、彼らの作品を通じて具体的に紹介していきたいと思います。

さて、2020年3月16日、フランスのマクロン大統領（Emmanuel Jean-Michel Frederic Macron, 1977年〜）は、ロックダウンを前に「我々は（ウイルスとの）戦争状態にある」と語っています。[*2] 一方で、グレートブリテンおよび北部アイルランド連合王国（以下、英国）の環境哲学者ティモシー・モートン（Timothy Bloxam Morton, 1968年〜）は、コロナウイルスについて「友であるかもしれないし、殺人鬼であるかもしれない両義的な存在」と考え、「コロナとの共生」を唱えています。

ウイルスの感染拡大はあらゆる企業の経済活動を休・停止させ、今なお甚大な損害を与え続けています。一方で数十億人をステイ・ホームさせた結果、世界各地の大気汚染レベルは一時的ではありますが急激に低下しました。こうした事実に鑑みれば、〝戦争状態〟を引き起こしたウイルスを〝友〟とすら呼ぶモートンの論も、あながち荒唐無稽と片付けるわけにはいかないでしょう。[*3]

本書では、すでに述べたようにパンデミックに翻弄されるアート市場の現状をレポートするとともに、今後の展開を予想していきます。また同時に、人新世を描出したアート作品とそれらを取り巻く社会・経済状況を通じて、不可視な存在であるコロナウイルスの姿を炙り出していきたいと考えています。

まずは、人類がいかに疫病と正対してきたか、紀元前まで遡って見ていきたいと思います。

新型コロナはアートをどう変えるか　目次

第2章 新型コロナとアート市場……57

第3章 アートは死なず……83

第1章

芸術は疫病をどう描いてきたのか

紀元前から人類は、疫病との絶え間ない戦いを繰り返してきました。そして今、世界で猛威をふるうＣＯＶＩＤ‐19が示すのは、現代社会のように衛生的な生活環境に加え、発達した医療の下にあっても、なお病に苦しむ私たち人間の姿です。そう考えると、古代、中世あるいは近代において、その脅威は想像を絶するものであったと思われます。しかし、そうした絶望的な状況の中でも芸術は疫病と対峙し、その惨状を記録として残してきました。

そこで第１章では、紀元前から21世紀に至るまで、芸術・文化がいかに厄災と向き合い、病苦に翻弄される社会を描き出してきたか。その歴史を振り返ってみたいと思います。

１・１　アテネのペスト

エーゲ海周辺に位置するギリシアの諸ポリス（都市国家）は、強大なペルシア帝国軍の襲来に備え、紀元前４７８年、アテネを盟主とした「デロス同盟」を結成します。参加ポリスが軍船や兵、あるいは納入金を拠出することで連合艦隊を編成していました。

一方、アテネと並んで古代ギリシアの代表的ポリスであるスパルタは、紀元前６世紀まで

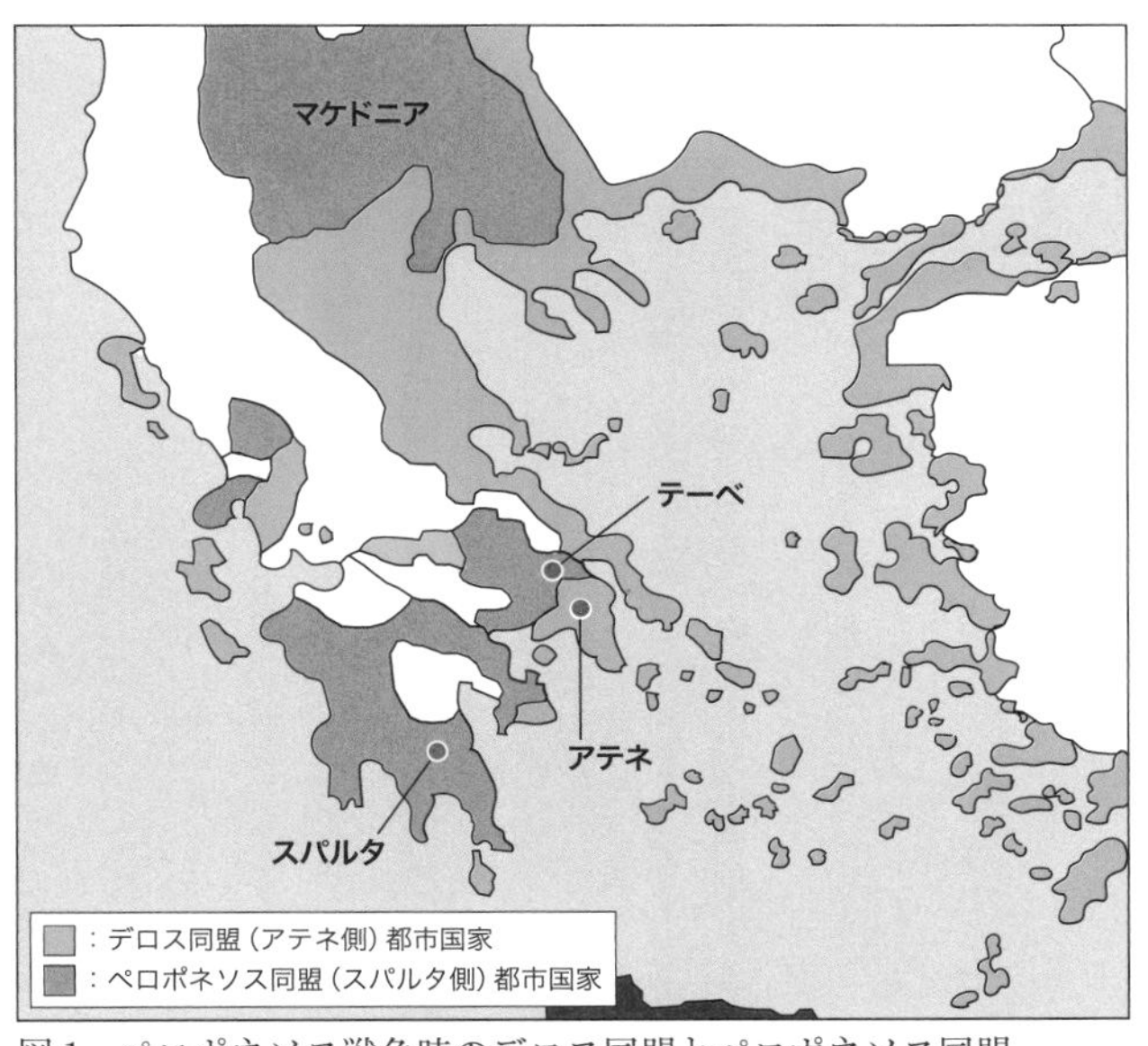

図１　ペロポネソス戦争時のデロス同盟とペロポネソス同盟

に軍国主義を確立。精強を誇る陸軍主体の市民戦士団を編成し、近隣の都市国家と「ペロポネソス同盟」を締結します。

当初は協調して共通の敵・ペルシアに相対していた両国も、イデオロギーや利害の違いから相互に離反していくようになります（図１）。

市民の約6分の1が死亡

アテネはデロス同盟を率いてエーゲ海に覇権を確立すべく、軍事力を積極的に拡充、隷属する都市を増やしていきました。

これに対し自治独立を重んじるペロポ

ネソス同盟は、アテネの好戦的な拡張政策が全ギリシア地域に及ぶことを強く懸念していたのです。前者が専制化して親スパルタ派のキモンを追放、紀元前461年にペリクレス(Pericles, 紀元前495年頃〜紀元前429年)が実権を握ると、両国間の関係は抜き差しならないものとなっていきます。

勢いを増す覇権主義と旧来的自治独立といったイデオロギー対立に加え、ポリス間の権益や隷属都市の同盟帰属問題などが結びついた結果、紀元前431年両同盟間に「ペロポネソス戦争」が勃発します。

開戦当初は、圧倒的な海軍力を背景にしたアテネが戦いを優位に進めます。しかし、ペリクレスは海上からペロポネソス同盟側の主要本国を攻撃するため、全市民をアテネ市街とペイラエウス港(アッティカ地方の港湾都市)を結ぶ二重城壁の内側へと退避させる籠城策を採ります。

ところが、エジプトからエーゲ海東部で流行していたペストが、運悪くアテネでも発生し、瞬く間に感染拡大していきました。結局、疫病によって市民の約6分の1が死亡したといわれています。これ以降、アテネの国力は急速に傾き、およそ5年間の停戦期間を挟んだ紀元前404年に、スパルタ(ペロポネソス同盟)側の勝利によって長い戦争に終止符が打たれました。

ペリクレスの執政によるアテネ最盛期には、参政権を有する市民が直接的に運用する民主政治が充実。また、現在も世界遺産として遺る、アクロポリスのパルテノン神殿が建立されるなど高い文化を誇る都市国家を実現しました。しかし、そうした独自性も敗戦により衰微していきます。他方、アテネ出身両親の嫡出男子だけをアテネ市民と認める「市民権法」を制定。さらには、デロス同盟領域内で自由を享受できるのは同市民のみとし、他国市民を外国人扱いするなど、帝国主義的な色彩が強かったことも窺えます。

古代ギリシア軍記文学の傑作はいかにして生まれたのか

「ペロポネソス戦争」終結後、アテネは没落の一途を辿っていきます。終戦直後の混乱と恐怖政治の台頭から、知の巨人ソクラテス（Socrates, 紀元前４６９年頃〜紀元前３９９年）は冤罪で刑死してしまいます。往時の法廷闘争を描写した名著が、弟子のプラトン（Plato, 紀元前４２７〜紀元前３４７年）による『ソクラテスの弁明』です。

また、終戦に伴って同盟内における特権的地位を謳歌してきたアテネ市民たちも、その多

図2　「クナクサの戦い」を描いたジャン・アドリアン・ギーネ《1万人の退却》1842年、キャンバスに油彩、100 × 179cm、ルーヴル美術館蔵

くは困窮していきます。学者であり騎士階級でもあったクセノポン（Xenophon, 紀元前427年頃〜紀元前355年頃）は、謀反の嫌疑をかけた兄ペルシア王・アルタクセルクセス2世を倒すべく立ち上がった、キュロス王子の軍に傭兵として雇われます。

紀元前401年3月にサルディスを出立した同軍は、バビロン近郊のクナクサでペルシア軍と遭遇、戦闘（「クナクサの戦い」）（図2）が起こりました。キュロスは血気に逸り飛び出して、アルタクセルクセス2世に手傷を負わせますが、結果的には討ち取られてしまいます。

このためキュロス軍は敗退し、彼に雇われていたギリシア傭兵一万数千人は、何らの報酬を得ることなく敵地に放り出されてしまいます。幾多の苦難を乗り越え、故国へ向け６０００キロにも及ぶ脱出行を描いたクセノポンによる古代ギリシア軍記文学の傑作『アナバシス』は、こうした状況下で生み出されたのです。

紀元前３９９年３月、５０００人まで減少した傭兵軍団はペルガモンへと辿り着き、スパルタ軍に雇われるに至って、ここに長いアナバシスは終わりを告げたのです。この長旅により、クセノポンは敬愛する師・ソクラテスの死に立ち会うことが叶いませんでした。

歴史に〝たら〟や〝れば〟は禁物ですが、もしもペロポネソス戦争時に、アテネでペストが大流行しなければ、また、ペリクレスが大がかりな籠城戦を採らなければ、『ソクラテスの弁明』も『アナバシス』もこの世に存在していなかったかもしれません。

１・２　６世紀・ローマ帝国東西統一の夢を砕く

古代ローマ帝国の皇帝テオドシウス１世は紀元３９５年崩御の直前、２人の息子に対して帝国を東・西に分けて統治することを遺言します。

長男・アルカディウスが治めたのは、コンスタンティノープル（現・イスタンブール）を

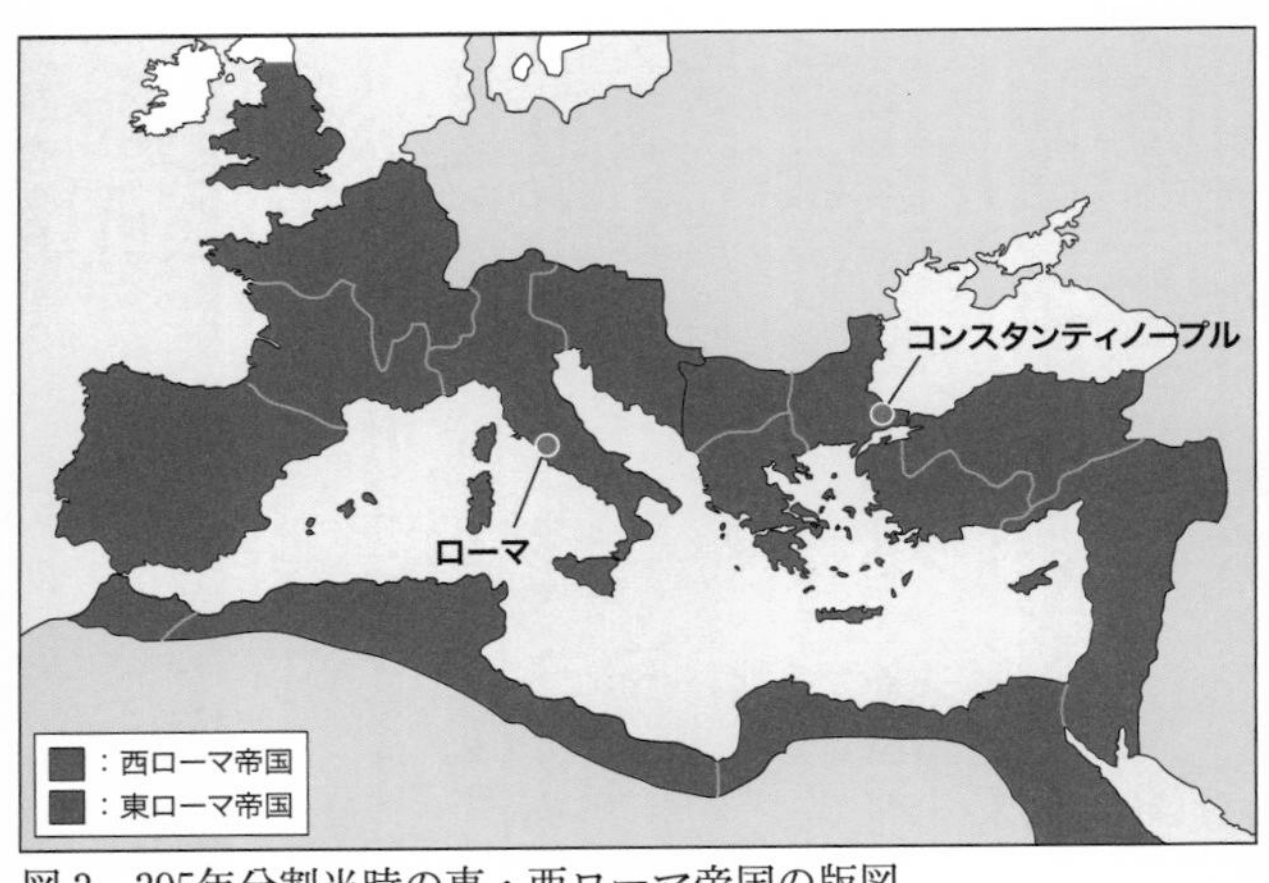

図３　395年分割当時の東・西ローマ帝国の版図

都として、小アジアからバルカン半島、さらには北アフリカにまで及ぶ東ローマ帝国でした。一方、次男・ホノリウスに与えられたのは、ラヴェンナを首都としたイタリア半島と、その周辺地域からなる西ローマ帝国です（図３）。

そもそも東西分裂以前から、ローマ帝国はゲルマン人にたびたび脅かされていました。貿易で富を蓄え、帝都の守りを固めた東ローマ帝国に比し、西ローマ帝国は奴隷や異民族に対する軍事を含めた労働力への過度な依存や、長引く戦乱に起因する経済危機によって内憂外患の様相を呈していきます。そして４７６年、ゲルマン系の将軍オドアケル（Odoacer, ４３３〜４９３年）によって、時の皇帝ロムルス・アウグストゥルスは廃位され、西ローマ帝国は建国から約80年で滅亡してしまいます。

移民に頼らざるを得ない労働力不足や増税、そして長引く経済の低迷といった西ローマ帝国衰退・滅亡の状況が、コロナ禍に苛まれる現在の日本と酷似していることに不安を覚えるのは私だけではないはずです。

ユスティニアヌス１世の巧みな人心掌握術

他方、東ローマ帝国は富国強兵に成功し、分裂後、およそ千年にわたって存続していきます。中でも、その最盛期はユスティニアヌス１世（Justinianus I, ４８３〜５６５年）の治世である（５２７〜５６５年）といわれています。

彼は、バルカン半島のタウレシウム（現・マケドニア共和国のスコピエ近郊）で農民の子として生を受けます。近衛隊兵士であった叔父・ユスティヌスの養子となり、先帝の崩御に乗じて叔父をサポートして帝位に就けることに成功。その後、共同皇帝を経て即位すると、帝は有能な人材を登用、経済を立て直して、北アフリカやイタリア半島を征服し帝国の領土を最大化します。

太閤・豊臣秀吉の例を挙げるまでもなく、古今東西、異例の大出世は人々の強い興味・関心を喚起します。二人に共通するのは、出自を問わない人材登用と巧みな人心掌握術でしょう。しかも、ユスティニアヌス帝の后であるテオドラ（Theodora, ５００年頃〜５４８年）は貧しい踊り子であり、帝と出会う前に前夫との離婚を経験していました。

しかし、聡明な彼女は夫をよく支え、国政に関与して帝国の繁栄に貢献します。ニカの乱（５３２年）では都を捨て落ち延びようとする帝に対し、「逃亡するより、帝衣のまま死んだ方がましです！」[*1]と叱咤した逸話は有名です。また、鎮圧後、反乱に加担した一族や臣下への苛烈な粛清も、后の入れ知恵であったといわれています。

２５００万人以上の命を奪った「ユスティニアヌスの疫病」

こうして、権力基盤を盤石なものとしたユスティニアヌス１世は、「学説彙纂（いさん）」「法学提要」（いずれも５３３年）、「勅法彙纂」（５３４年）に加え、５３４年以降に出された「新勅法」からなる「ローマ法大全」を編纂しています。同大全が、中・近世ヨーロッパ法制の基礎を作ったといっても過言ではないでしょう。

図４　（左）ユスティニアヌス１世　（右）皇后テオドラ、サン・ヴィターレ聖堂（ラヴェンナ）のモザイク画

また、５３７年にビザンティン建築の最高傑作と評される、ハギア・ソフィア大聖堂（現・アヤソフィア博物館）も再建しています。さらに６世紀前半には、帝国のイタリア半島統治における拠点であるラヴェンナに、サン・ヴィターレ聖堂を建立しました。堂の内陣部には、初期ビザンティン様式の帝と后を描いた美しいモザイクによる肖像画が遺されています（図４）。

古代ローマ帝国の旧領を次々とその版図に収め、文化的にも隆盛を誇ったユスティニアヌス帝は、総仕上げとして東西ローマ帝国統一を目指します。

しかし、その大事業に急ブレーキをかけたのが、２５００万人以上の命を奪った「ユスティニアヌスの疫病」でした。５４０年頃にエジプトで発生したペストは、翌年には東ローマ帝国全土を覆い、短期間で帝国の人口をおよそ3分の1にまで減少させます。帝自身もペストに罹患しましたが、比較的軽症であったため回復。その後は、四半世紀にわたって在位し続けました。しかし、ペスト禍により人的資源＝労働力、軍事力は大打撃を受け、古の帝国再興事業は衰退へと向かっていきます。

もしも、ペストの大流行が起きていなければローマ帝国は再統一され、その後のヨーロッパ史は、私たちが知っている事実とはまったく異なったものになっていたかもしれません。

1・3 「死の支配」——14世紀・ヨーロッパの黒死病

1347年、シチリア島に停泊中の船から上陸したペストは、瞬く間にイタリア全土に広がっていきました。ヴェネツィアやジェノヴァといった北イタリアの港湾都市は、アジアからもたらされた香辛料や絹織物との交易で栄華を極めていましたが、ペストは、こうした港から海路を伝ってヨーロッパ全土に蔓延していったのです。

そもそも14世紀のペスト大流行は、チンギス・カン（Cinggis Qan, 1162～1227年）

が築いたモンゴル帝国に端を発します。同国の支配地域は、東ヨーロッパから朝鮮半島にまでおよび、その領土面積は全陸地の約25パーセントを占めていたといわれています。広大な帝国の統治と貿易振興のために整備した街道やシャムチ（駅伝制度）により、皮肉にも中国で発生したペストは猛烈なスピードで伝播していったと考えられています。

ペストに感染した場合、1日から7日で発熱し、皮膚に黒紫色の斑点や腫瘍が現れて死に至ることから、当時は「黒死病」と呼ばれ恐れられていました。

警句「メメント・モリ」

ヨーロッパだけでも人口の3分の1から3分の2にあたる、約2000万〜3000万人がペストで亡くなり、当時のグレート・ブリテンおよび北アイルランド連合王国（以下、英国）やフランスでは、死亡率が60パーセントに達した地域すらあったといいます。全世界では、およそ8500万人が病死したと推測されています。[*2] こうした絶望的状況の中で、「メメント・モリ[*3]（死を想え）」の警句が流布し、人々は死が身分や貧富を超えて平等に訪れることを改めて認識したのです。

図5　《死の舞踏》
（左）ミヒャエル・ヴォルゲムート、1493年、木版画、46 × 31.7cm
（右）ハンス・ホルバイン、1538年、木版画、7.6 × 5.8 cm

このような死生観を視覚化した作品が、「死の勝利」であり「死の舞踏」でした。前者は骸骨の姿に擬人化された死が、生者を打ち倒す様子を描いたものです。後者は、さまざまな身分や職業に属する人々がすべて骸骨と化し、踊りながら墓場まで導かれる姿を表しています（図5、左）。

「死の舞踏」は、死の恐怖に取り憑かれ半狂乱となって踊り続ける人々や、ペスト流行を神の罰と捉え、贖罪として自らを鞭打つ苦行団から想を得たといわれています。それからおよそ200年後の1538年に発売された、ハンス・ホルバイン[*4]（Hans Holbein der Jungere, 1497〜1543年）による41枚セットの木版画セットは、飛ぶように売れ何度も版を重ねたほどです（図5、右）。

ルネサンスの到来と黒死病

時のローマ教皇クレメンス6世（Clemens VI, １２９１〜１３５２年）は、鞭打ち苦行団のエキセントリックな行状を異端と見做し、カトリック教会総本山であった南仏アヴィニョンへの入城を許さなかったばかりか、フランスからの追放令公布を国王に求めます。その一方で、教皇自身は疫病を恐れて、同地からエトワール・シュル・ローヌ（現・ローヌ＝アルプ地域圏）へと逃亡しています。

聖職者を失った教会は混乱し、人々は多額の寄進と引き換えに授かった免罪符や祈祷が無力であることを悟ります。こうして、厳格な教会支配から徐々に学問や芸術を謳歌するような風潮が生まれはじめ、そのような状況がルネサンス到来を促したといわれています。

ルネサンス初期を代表する作家で詩人のジョヴァンニ・ボッカッチョ（Giovanni Boccaccio, １３１３〜１３７５年）は、ペスト流行中の１３４８年から１３５３年にかけて『デカメロン（十日物語）』を著しました。それは、疫病感染を逃れ郊外に移り住んだ富裕なフィレンツェ市民10人（男性：３人、女性：７人）が10日間にわたって一日一話ずつ語った、全百話からなる物語です。ペストからの心理的逃避が背景となっており、同時代の事件を描きながらも、知識階級に受け入れられた最初の文芸作品として今も読み継がれています。その1日目の書き出し部分をご紹介しましょう。

時は主の御生誕一三四八年のことでございました。イタリアのいかなる都市に比べてもこよなく高貴な都市国家フィレンツェにあのペストという黒死病が発生いたしました。これは天体がもたらす影響のせいか、それとも人間の不正のせいか、それとも神が正義の怒りに駆られて我々の罪を正すべく地上に下されたせいか、いずれにせよ数年前、はるか遠く地中海の彼方のオリエントで発生し、数知れぬ人命を奪いました。ペストは一箇所にとどまらず次から次へと他の土地へ飛び火して、西の方へ向けて蔓延してまいりました。[*5]

14世紀にイタリアからはじまったルネサンスは、その後、様々な分野で優れた作品や発明を生み出していきます。一例を挙げれば、レオナルド・ダ・ヴィンチ（Leonardo da Vinci, 1452～1519年）は、約508億円と今や史上最高額の芸術作品となった《サルバトール・ムンディ[*6]（世界の救世主）》（1500年頃）を描き、同時に自動車やヘリコプターの基になった「バネ仕掛けで動く車」（１４９５年）や「空気ねじ（ヘリックス）」（１５００年頃）を考案しています。なお後者は、日本ヘリコプター輸送株式会社を前身とする、全日本空輸の旧ロゴマークとしても知られています。

さて、黒死病は芸術・文化のみならず、ヨーロッパの経済や社会体制にも大きな影響を及ぼしました。英国では労働者不足に対処するため、国王エドワード3世（Edward III, １３１２〜１３７７年）がペスト流行以前の賃金に固定する勅令を１３４９年に発しています。また、地代軽減や保有地の売買承認といった農奴に対する待遇改善により、封建領主は没落していき中央集権国家へと脱皮していくことにもなります。

1・4　16〜17世紀・再び訪れた黒死病の大流行

その後もペストは19世紀末に原因菌が突き止められ、[*7] 有効な感染防止対策が確立されるまで、世界各地で繰り返し猛威をふるっていったのです。16〜17世紀には、ヨーロッパで再びペストが大流行しています。

1630年3月、ミラノでは春の訪れを祝うカーニバル（謝肉祭）のために、検疫条件を緩めた結果ペストが再発。ピーク時の病死者数は、1日あたり約3500人にも上ったようです。正に、コロナウイルス感染対策のロックダウン（都市封鎖）や緊急事態宣言解除後に感染者数が増加する事態と酷似しており、私たちがまったく進歩していないことに思わず苦笑させられます。

その後1665年には、「ロンドンの大疫病」と呼ばれるペスト蔓延によって、およそ7万人が亡くなっています。同地では人が集まる大学も閉鎖され、学生や大学関係者はペスト禍を避けるため地方へと疎開しました。

その当時、ケンブリッジ大学で学位を取得したばかりのアイザック・ニュートン（Isaac Newton, 1642～1727年）も、故郷であるウールスソープ（リンカンシャー州）に避難しています。それまで生活費のために従事していた大学事務の諸雑事から解放された彼は、思索・研究に充てる時間を得て、微積分法の証明や、プリズムでの分光実験、[*8]さらには万有引力発見の着想[*9]を得ることに成功します。「ニュートンの三大業績」と呼ばれる大発見は、いずれもペスト回避の休暇中に誕生しています。英国にとって歴史的な災厄の日々が、人類史上の最も偉大な発見を促すとは何とも皮肉な巡り合わせです。しかし我々人類にとっては、まさに不幸中の幸いといえます。

翻って現代ではＩＣＴ（情報通信技術）の力により、コロナウイルスの感染拡大状況下でも継続的な学びが可能となっています。ニュートンに倣って疎開ならぬ〝ステイ・ホーム〟をチャンスと捉え、本来の通学・通勤時間を思索や研究、あるいは業務の充実にあてるべきではないでしょうか。

ところが、多くのメディアとその論調に迎合する評論家やコメンテーターは、遠隔式授業を十把一絡げに批判しています。しかし実際には、従来の対面式と比べて「出席率」や「課題提出率およびその内容＝授業に対する理解度」において、大きく上回っている（遠隔授業）科目は決して少なくありません。

全授業をオンラインによる少人数編成のセミナー形式とし、今やハーバード大学をも抜き去り、設立8年目で世界最高峰の教育機関となったミネルバ大学（米国・サンフランシスコ）。同大の教育スタイルは、最も成功した「エドテック[*10]（Edtech）」活用事例として、世界中から注目を集めています。我が国でもコロナ禍を逆手にとり、大学の国際競争力向上やリカレント教育[*11]の普及拡大に向け、遠隔授業化で蓄積したノウハウを積極的に活用すべきであると考えます。

「聖アントニウスの誘惑」に描かれたもの

フランスとドイツの国境付近、アルザス地方イーゼンハイムにある聖アントニウス会修道院付属施療院礼拝堂内に、同修道会の守護聖人である聖アントニウス像を安置した祭壇があります。

そこに描かれているのが、ドイツ美術史上屈指の名作と謳われるマティアス・グリューネヴァルト（Matthias Grünewald，１４７０年頃～１５２８年）の《イーゼンハイムの祭壇画》（１５１１～１５１５年頃）です（現在は、ウンターリンデン美術館に収蔵）。同祭壇画の《十字架上のキリスト》は、数多の美化された聖なる磔刑図（たっけいず）とは異なり、凄惨な傷跡も生々しい死体と化したキリストが描かれています。

しかし、本書で注目しておきたいのは、《聖アントニウスの誘惑》です。同主題は古今多くの画家が描いており、厚い信仰心を覆そうと怪物になって現れる悪魔の姿に創作意欲を刺激されるのか、ヒエロニムス・ボス（Hieronymus Bosch，１４５０年頃～１５１６年）やピーテル・ブリューゲル父（Pieter Bruegel de Oude，１５２５年頃～１５６９年）はもとより、サルバドール・ダリ（Salvador Dali，１９０４～１９８９年）までもが手がけています。

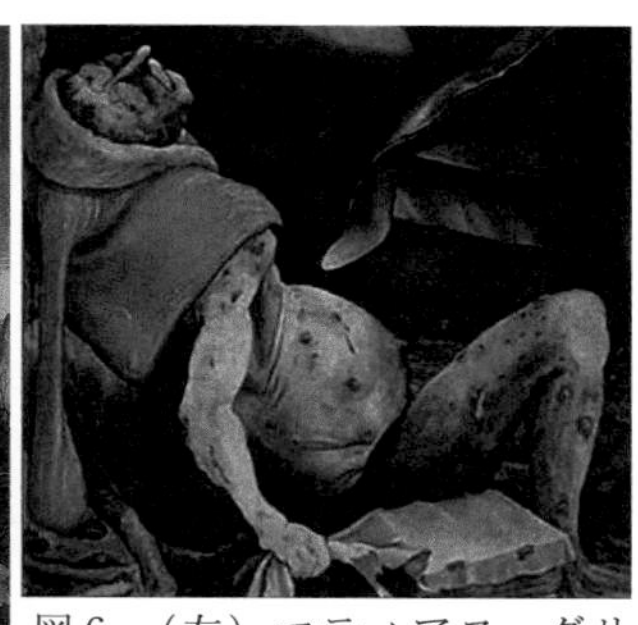

図6 （左）マティアス・グリューネヴァルト《イーゼンハイムの祭壇画・聖アントニウスの誘惑》1511-1515年頃と、（右）「ペスト罹患者（または、麦角中毒者）」部分の拡大

《イーゼンハイムの祭壇画》の同作画面を注視すると、アントニウスを打擲（ちょうちゃく）する魔物たちに交じって、左下に横たわる男性には、「黒死病」と恐れられた腺ペストの症状であるリンパ節腫脹、および膿瘍や敗血症ペスト特有の紫斑が現れています[*12]（図6）。このことからは、当時ペストが悪魔と同じように恐れられていたことが推察できるでしょう（麦角（ばっかく）中毒、梅毒説については注釈をお読み下さい）。また、祭壇画にはペスト患者の守護神である聖セバスティアヌス[*13]も描かれています。

これほどの名画をものしていながら、ドイツ農民戦争[*14]に身を投じたことから、グリューネヴァルトはパトロンであったマインツ大司教に疎まれ、筆を折って薬売りに身をやつします。その後、皮肉にもペストに罹患して50代半ばの生涯を閉じています。

親子二代で描く、悲惨な「死の勝利」

さて、前項でも触れたピーテル・ブリューゲル父は、１５６２年頃にプラド美術館収蔵の傑作《死の勝利》（図7）を描いています。イタリア旅行中（１５５２～１５５５年頃）に数多目にしたであろう死を主題とするフレスコ画に加え、初期フランドル派の先達ボスの影響を受けた作品は、夥しい数の骸骨＝死神がすべての人々を死へと誘っています（画面中央、大鎌を構える馬上の骸骨は、イタリア・パレルモのスクラファーニ宮殿に描かれた《死の勝利》を模していると思われます）。

中でも注目すべきは、画面左下の宝冠を戴き、立派な甲冑に身を包み、白貂（しろてん）（アーミン）のマントを纏った王が、命の砂時計を持った骸骨に余命幾ばくもないことを告げられている場面です。傍らでは、樽から溢れんばかりの金・銀貨もかすめ取られています。同作品は、身分や貧富を問わず死が平等に訪れること、そして黒々とした髪や髭から、昨日までは壮健

図７　ピーテル・ブリューゲル父《死の勝利》1562 年頃、パネルに油彩、117 × 162cm、プラド美術館蔵

だった権力者の突然死を示唆しています。

ブリューゲル父には、長男であるピーテル・ブリューゲル子／小ピーテル（Pieter Brueghel de Jonge, １５６４年頃～１６３６年）と、次男のヤン・ブリューゲル（Jan Brueghel de Oude, １５６８～１６２５年）がおり、二人とも画家になり、父の《死の勝利》を模写しています（ピーテル・ブリューゲル父は、彼らが幼い頃に亡くなっているため、残念ながら息子たちは父から直接の手ほどきを受けてはいません）。

小ピーテルの作品は１９８７年に米国で発見されていますが、その後行方不明となり、現在も見つかっていません。一方、ヤン・ブリューゲルが模写した《死の勝利》（１５９７年）（図8、36ページ）は、オーストリア・グラーツの

図8　ヤン・ブリューゲル《死の勝利》1597年、カンヴァスに油彩、119 × 164cm、ヨアネウム州立博物館蔵

ヨアネウム州立博物館が所蔵しています。

その質感や色調から、別名「ビロードのブリューゲル」という異名を持つだけあり、枢機卿のペレグリナ（祭服）も、父が描いたくすんだグリーンからカーディナル・レッド（緋色）に変わり、青黒い背景色とのドラマティックな対比を際立たせています。

ただし、王の髪と髭が白くなっている点については、巨匠であった父に比べると寓意の冴えを感じさせません。ちなみに彼はアントワープに工房を構え、旺盛に制作していましたが、息子（ヤン・ブリューゲル子）が友人のアンソニー・ヴァン・ダイク[*15]（Anthony van Dyck, 1599〜1641年）とイタリア旅行中に、コレラに罹り亡くなってしまいます。

その後、彼の息子であるヤン・ブリューゲル子とアンブロシウスの兄弟もまた画家となったため、（ピーテル・ブリューゲル父の両親から、ヤン・ブリューゲル子の息子であるアブラハム・ブリューゲルまで）ブリューゲル家は５代にわたってのアーティスト・ファミリーを形成するに至っています。[*16]

１・５　江戸の「お役三病」

さて、ヨーロッパでは14世紀以降19世紀末まで、断続的なペスト流行に悩まされ続けていました。では、同時代の日本は、一体どのような状態だったのでしょうか。本節では、江戸時代の疫病を巡る情勢について述べていきたいと思います。

古来、我が国において伝染病は、火事や地震と並び最も恐れられていた厄災でした。奈良時代に編纂された『日本書紀』には、疾疫（えやみ）、疫気（えのやまい）といった記述がすでに見られます。

それからおよそ８００年後、日本の中心・江戸は、人口１００万人を誇る世界的な大都市として繁栄を謳歌していました。しかし、「お役三病」と呼ばれた天然痘（疱瘡）、麻疹（は

図９　落合芳幾《三気男はしか退治》1862年、多色刷木版画、24 × 35cm、内藤記念くすり博物館蔵

しか）、水疱瘡（水痘）は、そこでも非常に畏怖嫌厭されていたのです。特に天然痘と麻疹の死亡率は高く、一旦流行すれば多くの人命が失われたといわれています。

幕末を代表する浮世絵師・落合芳幾（１８３３～１９０４年）による《三気男はしか退治》（１８６２年）（図９）は、粋でいなせな若衆に姿を変えた「括り猿」（猿の形をしたお守り）や「房楊枝」（江戸時代の歯ブラシ）、「神馬桶」（たらい、洗面器）といった呪物や衛生用品が主人公です。「のどのかハ吉」（喉の渇き）、「づつう太」（頭痛）、そして「やせ蔵」（痩せる）など、擬人化された麻疹の諸症状を退治する姿が色鮮やかに表されています。

疫病流行は人々の醜い欲望を露わにする

一方、こちらは19世紀の中頃に、全国で60万人近い犠牲者を出したコレラ禍の最中に描かれた、空想上の火を噴く妖鳥《通神鳥》（図10）です。読んで字のごとく、人の不幸につけ込んで〝儲け＝お金を掴み取る〟職業を揶揄した画です。

頭は火かき棒を握る火葬場の男性で、首は払子（法要の際に、威儀を示す法具）を手にした僧侶、そして胸元は湯灌場買（死者の衣服を買い取る者）からなる怪物です。加えて胴から尻にかけては、賽銭箱や薬研、薬箱、尾羽は薬種屋の薬袋や看板など医薬や葬儀に関連する物が体中にあしらわれています。

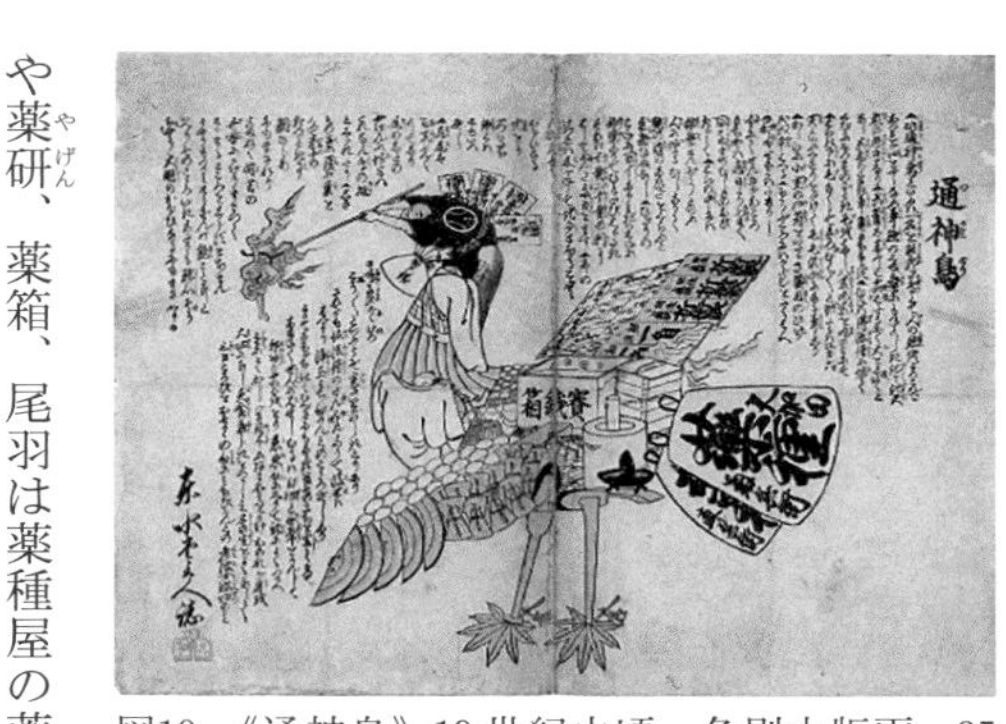

図10　《通神鳥》19世紀中頃、色刷木版画、35×46cm、内藤記念くすり博物館蔵

「鳥の嘴は八牙（やいば＝焼場をもじっています）するどく、胸は仏法僧（低山帯の林地に棲息する鳥・ブッポウソウにかけています）に似て首に毛があり、八宗九宗*17を丸のみにする。腹

の下に毛がなく、白むくむくと（死装束である白無垢にかけた洒落）肥えているのは、湯灌場買という薬をつけ毛毛（もうけ＝儲け）たくさん」になったからだと書かれています。

《通神鳥》は、入手困難であったマスクやアルコール消毒液、一時期はティッシュやトイレットペーパーまで高値で転売する悪徳業者が跋扈（ばっこ）し、国民生活安定緊急措置法で規制しなければならなくなった現代のコロナ禍を彷彿とさせます。いつの世も、疫病流行は人々の醜い欲望を露わにしてしまうようです。

江戸から明治にかけて大流行したコレラ

文久2年（1862年）、麻疹と共に全国で大流行したコレラは、罹患すれば〝ころり〟と死んでしまうことから「コロリ」と呼ばれ、「虎烈刺」「虎列拉」「虎列刺」などの字が当てられていました。急激な症状の悪化が、一日に千里を走るとされた虎のスピードを連想させたからだといわれています。

明治時代に入ってからもその勢いは衰えず、特に明治12年（1879年）と19年（1886年）の感染拡大は著しく、現在の福井県では、全人口のおよそ1パーセントにあたる人々が亡くなっています。世の中を恐怖に陥れたコロリを、「虎」の頭と、「狼」の胴、そして「狸」の金玉（睾丸）を持つキマイラにたとえたのが、《虎列刺退治》と題された錦絵です（図11）。武装した衛生隊員たちが噴射する消毒液も、強大な「虎狼狸」にはあまり効き目がありませんでした。[*18]

図11　木村竹次郎《虎列刺退治》1886年、色刷木版画、31 × 43cm、内藤記念くすり博物館蔵、堺市片桐棲龍堂

ところで、江戸と明治ではコレラ対策も大きく異なっており、前者は疫病流行により陰気になった社会を明るくすることに主眼が置かれていました。病魔を打ち払う目的で太鼓を賑々しく叩くことを奨励したり、各地で大砲を放ったりしたようです。一方、後者は患者の隔離や汚染源の消毒、加えて集会や古着売買を禁止するなど、非常に科学的な措置が講じられていました。

当時はまだコレラ発生の原因は解明されておらず（原因菌の発見は１８９４年）、治療法が確立していなかったこともあり、人々は医師や警察の処置に疑念を抱いていたといいます。事実、行政側に伝染病の発生を隠す動きもあったようです。

このことは、武漢でのコロナウイルス発生・感染拡大を隠蔽した、中国政府に対する疑惑を想起させます。結果的に、発生源である武漢ウイルス研究所説と米軍生物兵器説（さすがに荒唐無稽ですが）を巡り、米中間で激しい舌戦が繰り広げられたのは記憶に新しいところです。

さて福井県では、明治19年5月29日に県内で最初の患者が発生しましたが、同年11月頃にはほぼ鎮静化しています。集会を禁止した県令が10月26日付で撤廃されたことを喜び、若者たちがのぼり旗を立てて、祭りを開催した様子が当時の新聞でも報じられています。[*19]

江戸庶民の諧謔精神

16～17世紀にオランダやフランドル地方で発展した静物画、「ヴァニタス[*20]」を例に取るまでもなく、西洋美術では往々にして描かれているモチーフが、何を象徴しているのか読み解かなければなりません。そのテーマは宗教色が濃く、人生訓や戒めを説いているものが少なくないからです。疫病を主題とした作品の数々も、極めてシリアスかつ示唆に富んだ内容になっていました。

一方、江戸の浮世絵は、大いなる厄災である疫病流行を笑い飛ばし、粋でいなせな風情を有しています。それに比べて、現代の自粛警察[*21]による行き過ぎた取り締まりは、野暮にしか感じられません。コロナ禍の私たちに今必要なのは、江戸庶民が貴ぶ洒脱な気風と諧謔の精神かもしれません。

歪んだ正義感ばかりではありません。ＣＯＶＩＤ‐19感染者対応に奔走する医療従事者やその家族に対する忌避、差別、そして心ない誹謗中傷は聞くに堪えません。千葉県鴨川市の汐留公園に建つ烈医沼野玄昌先生弔魂碑からは、今も昔も変わらない人間の悲しい業を思い知らされます。１８７７年の彼の地でコレラに対する防疫と治療に従事していた医師・沼野（ぬまの）玄昌（げんしょう）（１８３６～１８７７年）は、井戸や便所に石灰を投げ入れ消毒していたところ、毒を撒いていると誤解された地元民に惨殺されてしまいます。[*22]

化学や医療に対する無知、そして恐怖や猜疑心が生む残虐な感情が、攻撃しやすい所へ向かうのは洋の東西を問いません。14～19世紀のヨーロッパでは、いわれなき嫌疑をかけられ多くのユダヤ人が命を落としています。

1・6　カミュが描くペストの正体

ところで、コロナウイルス感染拡大の影響により、アルベール・カミュ（Albert Camus, 1913〜1960年）の『ペスト』（1947年）が異例の売り上げを記録しています。発行元によれば、2020年2〜4月だけで通常期の30年分に相当する15万4000部を増刷。累計発行部数は、100万部を超えた模様です[*23]（日本だけではなく、フランスやイタリア、英国でもベストセラーとなっています）。

同書は、ペストの蔓延により封鎖された街で、迫りくる死病の恐怖と疫病がもたらす人生の不条理に立ち向かう人々を描いています。今回のブームも、全容が解明されていない未知のウイルスに対する向き合い方を、先人の知恵に求める読者が増えているからだと思われます。

主人公のベルナール・リウーは、医師として目に見えない難敵・ペストに対し淡々と、しかしながら昂然（こうぜん）と戦いを挑みます。ところが、危機感の低さや官僚的な形式主義、あるいは責任回避の姿勢といった本当の敵を人々の中に見つけてしまうのです。幼くして命を落とした少年を、神に対する罪と説いたパヌルー神父もまた、皮肉にもペストで亡くなってしまいます。さらには、極度の不安から享楽へ逃避したり、無力感に襲われたりする人々の様子が、まるでドキュメンタリーであるかのように描写されています。また、文中の「自宅への流刑」という表現は言い得て妙であり、コロナ禍を経験している私たちにとっては、身に染みて理解できるはずです。

　この小説が書かれたのは、ヨーロッパを破壊し尽くした第二次世界大戦（１９３９〜１９４５年）終戦直後の１９４７年です。そこで、カミュはナチズムの隠喩としてペストを描いたのではないかといわれています。ナチスドイツ占領下のヨーロッパでは、裏切りや密告などによる相互不信や愛する人との別離、刹那的享楽による現実逃避が横行。ペスト蔓延で外部と遮断された都市（小説中のアルジェリア・オラン市）が、同様の状態であったことからも合点がいきます。[*24] そして最後は、全体主義の再来を予見するかのような、不気味な一節で結ばれています。

　ペスト菌は決して死ぬことも消滅することもないものであり、数十年の間、家具や下着のなかに眠りつつ生存することができ、部屋や穴倉やトランクやハンカチや反古（ほご）のなかに、しんぼう強く待ち続けていて、そしておそらくはいつか、人間に不幸と教訓をもたらすために、ペストがふたたびその鼠どもを呼びさまし、どこかの幸福な都市に彼らを死なせに差向ける日が来るであろうということを。[*25]

1・7 コロナを描くバンクシー

世の中がロックアウト（都市封鎖）で意気消沈している時に、世界で最も有名なストリート・アーティストのバンクシー（Banksy, 1974年〜）は、〃ステイ・ホーム〃や〃在宅勤務〃をユーモラスに表現した新作をインスタグラム上に発表（2020年4月15日）します。それは、「My wife hates it when I work from home.（家で仕事していると、妻が嫌がるんだ）」というコメントと共に、自宅トイレの壁面に躍動するネズミたちを描いたものでした[*26]（図12）。

小池百合子東京都知事が保存を決めた、バンクシー作品と思しき防潮扉のグラフィティもまた、ネズミでした。彼らは時に病原菌をまき散らし、都市を壊滅的な状況に追い込む厄介な存在です（ペストはネズミを宿主として、ノミの媒介で人間に感染します）。それは、高度に都市化された衛生的な街から排除されるホームレスや移民、難民といった人々を想起させます。また、ストリート・アーティストが公共空間に、自らの存在を痕跡として残すタグ（tag）＝署名と同様、バンクシーにとっては自らの分身であるといえるでしょう。

さて、ご存じの通りイラク戦争：《少女と爆弾》（２００３年）や、米国による経済的な帝国主義：《ナパーム弾》（２００４年）、あるいはイスラエルのパレスチナ領への侵攻：《ザ・ウォールド・オフ・ホテル（世界一眺めの悪いホテル）》（２０１７年）、そしてアート市場／行き過ぎた資本主義：《愛はゴミ箱の中に（オークションにおけるシュレッダー事件[*27]）》（２０１８年）といった体制批判をテーマにした作品が、バンクシー最大の特徴です[*28]。

ところが、２０２０年５月７日、ＣＯＶＩＤ‐19と最前線で戦う医療従事者を讃える《ゲー

図12　バンクシー「My wife hates it when I work from home.（家で仕事していると、妻が嫌がるんだ）」2020 年 4 月 15 日（バンクシーの Instagram より）

図13　バンクシー《ゲーム・チェンジャー》2020年5月7日（バンクシーの公式サイトより）

ム・チェンジャー》が、イギリス南部のサウサンプトン総合病院で公開されました（図13）。

永遠のヒーローであるバットマンやスパイダーマンに飽きた子どもが、今は看護師人形に夢中になっている様子が表されています。この図像からは、日々献身的に医療を支える彼らを新しいヒロイン／ヒーローに見立て敬意を表している様がうかがえます。加えて同作品は、病院内での展示後オークションに出品され、売上金は全額NHS（国民医療サービス）へと寄付されるようです（落札価格は、約6億5000万円に上ると予想されています）。

しかし同作品について、現在のような看護師に対する敬意や感謝の心も、コロナ禍収束後にはヒーロー人形のごとく、忘れられないよう警告を発しているという見方も可能です。[*29]だとすれば、やはり彼は一筋縄ではいかないアーティストであるといえるでしょう。

第6節では、カミュによってナチズムの隠喩として書かれた『ペスト』を、続く第7節ではバンクシーのユーモラスな体制批判を含んだ作品を紹介しました。

近・現代においては、疫病をストレートに表現した芸術作品ばかりでなく、厄災が露わにする社会や政治体制を巧妙に揶揄したものも現れ始めます。そこで、本章の最後となる次節では、コロナ感染対策における一党支配と民主主義の大きな違いについても述べておきたいと思います。

１・８　コロナ禍における一党支配体制 vs. 民主主義

中国のコロナ対策

２０１９年11月29日、中国・武漢で原因不明の肺炎患者が発生。２０２０年１月７日には、同国におけるコロナウイルス検出を世界保健機関（ＷＨＯ）が発表しました。統計によれば、累計患者数は８万３３９６人で死者数は４６３４人にも上っています（２０２０年６月22日時点)。そして、その内の約80パーセントは、最初に感染が発生した武漢市を省都とする湖北省内に集中していました。

一時は1日に約4000人のペースで新たな患者が増えていましたが、厳しい外出制限と軽症者の徹底的な隔離が進んだ2月中旬頃から、その勢いは次第に鈍化していきます。同時に海外からもたらされる逆流に備え、空港や国境では強力な水際対策が実施されていました。

こうした施策が功を奏し、同国の感染拡大は早期に鎮静化。2020年5月23日には統計開始以来、初めてコロナウイルスの新規罹患者数がゼロになりました(ただし、無症状者数は新たに28人をカウント)。世界最大の患者数を有し、今もその影響に苦しんでいる米国を始め、ヨーロッパの国々と比べ、なぜ中国はこれほど早く事態収束に成功したのでしょうか。[*30]

第一に考えられるのは、日本の「緊急事態宣言」とは大きく異なり、徹底した「都市封鎖」を行った点でしょう。中国政府は感染拡大を防ぐため、湖北省へと通じるすべての道路、公共交通機関を閉鎖し、感染状況が深刻な地域を外部から完全に遮断しました。また、徹底した外出制限を行うとともに、政府や自治体の対策に非協力的、あるいは感染地域訪問を隠蔽した市民に対しては厳しい処罰で臨んでいます。

監視・管理社会化が進んだ中国では、個人のスマホに日々注意を促すメッセージが送られています。さらには、外出制限令に従わない市民をドローンで追跡するなど、日本では到底考えられないような取り組みも実行されています（同国はアリババグループ系列の芝麻信用や、テンセントによる騰訊征信の「信用スコア」を利用して、国家による管理社会の構築を進めています）[*31]。一説によれば顔認証システムと連動した監視カメラは、同国内に６億台以上設置されているといいます。

加えて、事態収束の要因に「計画経済」ともいえる社会経済運営体制を挙げることもできます。中央集権的な政治体制の下、マスクから医療機器まで感染対策に必要な物資の生産に、あらゆるリソースの集中投下を可能にしているからです。こうした成果に対し同国内では、「効果・効率的な社会主義経済や、意思決定・執行スピードに長じた一党支配体制」を評価する声が日増しに高まっています。

さらには、他国に先駆け感染の抑え込みに成功した中国は、マスクや防護服、ＰＣＲ検査キットなどの医療、衛生関連の緊急支援物資を約１５０ヶ国に送っています。その中にはシリアやイランといった、欧米諸国から経済制裁を受けている多くの国々を含んでいます。今回のコロナ禍を絶好の機会到来と捉え、「一帯一路」[*32]計画を推進せんと企んでいることは明白でしょう。

それは救世主を任じる一方で、尖閣諸島における日本の実効支配を揺るがすような同国公船による頻繁な領海侵入や、一国二制度を骨抜きにしかねない「国家安全維持法」（以下、国家安全法）[*33]の香港に対する適用など、ここ最近強面な素顔を露わにしている点からも明らかです。

台湾と日本のコロナ対策

他方、中国とまったく異なる方法、つまり民主主義や資本主義＝自由経済を堅持しながら、コロナ禍を封じ込めた台湾の戦略についても述べておきたいと思います。

対策本部の早期設立と水際対策の強化、感染地域への渡航制限並びにマスクの増産といった施策は、取り立てて珍しいものではありませんでした。しかし、実名によるマスク購買制度や、繁華街の混雑状況をリアルタイムに分析し、情報の即時共有を可能にしたシステムなど、衛生・感染防止対策への積極的なＩＣＴ活用には、目を見張るものがあります。

これら台湾独自の施策立案・運用に寄与したのが、35歳でデジタル担当政務委員＝ＩＴ大臣に就任した唐鳳[*34]（Audrey Tang, １９８１年〜）です。また、日本の厚生労働大臣にあたる衛生福利部部長の陳時中（Chen Shih-chung, １９５３年〜）は、毎日記者会見を開き最新の情報を提供することで、国民を無用な不安から遠ざけることにも成功しました。

アジア初の同性婚合法化[*35]や先住民族・移民に対する差別解消に取り組み、「リベラルな台湾」を掲げる蔡英文（Tsai Ing-wen, １９５６年〜）党首率いる民主進歩党は、迅速で効果的な政策によって世界から大きな注目を集めています。[*36]

さて、振り返って日本のコロナウイルス対策を考えた時に、〝アベノマスク〟と揶揄された布製マスクの全戸配布が象徴的ですが、全体的に後手に回った印象は否めません。特に、東京五輪開催や春節時のインバウンド消費、習近平（Xi Jinping, １９５３年〜）中国主席の国賓来日にこだわり、初動の遅れを誘発したことが感染拡大を招いたといっても過言ではないでしょう。

一方で、台湾におけるコロナ対策成功の鍵を握る「身分証番号制」が、就学・職から納税、徴兵まで、国家によるあらゆる個人情報の管理を可能としている点に比べ、日本社会はこうした制度に対して非常に慎重です。そのことは、「マイナンバー制度」の普及遅延状況やその不評が如実に物語っています。また「緊急事態宣言」が、違反者に対する罰則規定のない自粛要請であった点も、各国のロックダウンに比していかに自由や自治を尊重した政策であったか、おわかりいただけるものと思います。

それにもかかわらず、同宣言と、それに続く東京アラート（東京都独自の警報）解除後の6月13日時点で、日本の累計感染者数は1万7382人、死亡者数は924人に留まっています。厳格な監視・管理体制のみならず、罰則を伴う強制執行もなくコロナ禍を抑え込んだ点で、強権政治礼賛傾向に待ったをかける貴重な実績として評価できるのではないでしょうか（もしも、早期の水際対策や渡航制限などを徹底断行していたならば、現在の感染状況は台湾と同等レベルであったかもしれません）。

本節では、コロナウイルス感染拡大対策を巡る東アジアの政治状況について言及してきました。それは、次章以降で詳述する現代アートが、世界の経済・社会動向と切っても切り離せない関係にあるからです。次章では、まず、ウィズ／ポスト・コロナを論じる上でも重要な、コロナ禍直前のアート市場について述べていきたいと思います。[*37]

追記

日々感染者が急増する一方の状態（2020年8月現在）を、「第2波」の到来と考えればよいのか、コロナウイルスとの共存・共生へ向けた端緒と捉えるべきなのか、その結論はもう少し先になりそうです。お盆期間中の帰省自粛や「Go To トラベルキャンペーン[*38]」の実施を巡り、国と地方自治体の方針は異なっており、世間では「アクセルとブレーキを同時に踏む」状態と揶揄する意見も少なくないようです。

第2章

新型コロナとアート市場

2・1　コロナ禍直前・世界のアート市場

本書の目的は、ウィズ／ポスト・コロナのアート界について、市場動向を中心に明らかにすることです。そのため第1章では未来予想の礎として、紀元前から21世紀に至る芸術・文化による厄災描出の歴史を振り返りました。本章では感染拡大直後のアート市場を、コロナ禍直前の状況と比較しながら述べていきたいと思います。

約7兆円の市場

まずは、コロナウイルス発生前のアート市場について、状況を確認しておきたいと思います。2020年3月に発表された「2019年世界のアート（美術品売買）市場規模」は、前年の676億5300億ドル（約7兆3748億円）より5パーセント減少し、641億2300万ドル[*1]（約6兆9900億円）（表1）となっています。これは、ニュージーランド国家予算に匹敵するほどの巨額です。[*2]

また、２００８年から11年間の推移（表2、60ページ）を見れば、２００９年はその前年9月に起こったリーマン・ブラザーズ破綻に端を発する、いわゆる「リーマン・ショック」の影響によって一時的にマーケットが大きく縮小したことを示しています。

当時の経済損失額は、全世界で２兆ドル（約２０６兆７１９０億円）超といわれていました。しかし、アート市場は翌２０１０年には３９５億ドルから５７０億ドルへと回復し、２年後には金融危機前の水準を超えていました。

ところがＣＯＶＩＤ‐19の影響はさらに大きく、全世界の国内総生産（ＧＤＰ）は、最大で５兆４９００億ドル（約６００兆円）失われると試算されています。リーマン・ショック時には４兆元（約59兆５０４４億円）の財政出動を行い、世界経済の回復を牽引した中国ですら、最悪の場合には44年振りのマイナス成長に陥る可能性すら有しているのです。[*3]

　果たして、未曾有の経済危機に際してアート市場はどのように変化していくのでしょう

年	市場規模（1万米ドル）
2009	3,951,100
2010	5,702,500
2011	6,455,000
2012	5,669,800
2013	6,328,700
2014	6,823,700
2015	6,375,100
2016	5,694,800
2017	6,368,300
2018	6,765,300
2019	6,412,300

出典：The Art Market 2020, an Art Basel & UBS Report
ⒸArts Economic (2020)

表１　2009～2019年アート市場規模

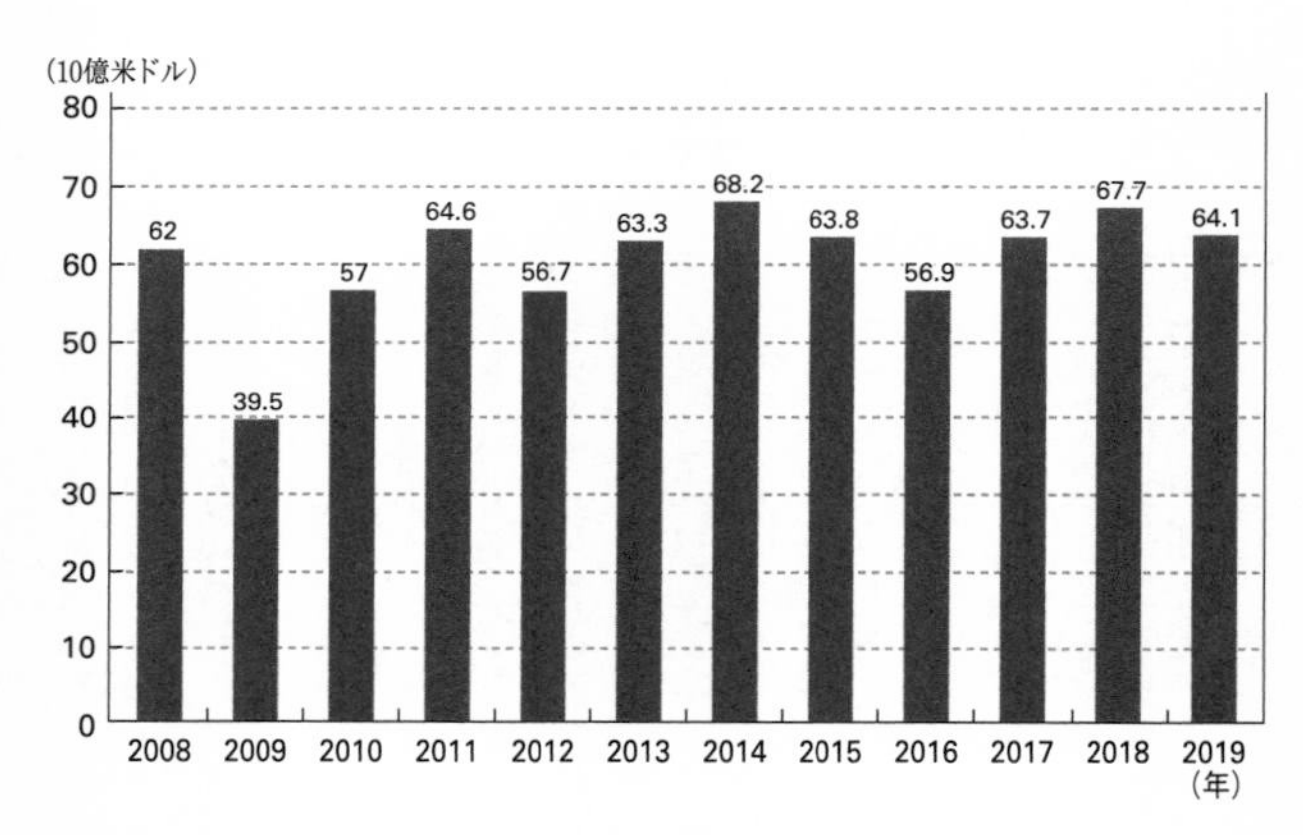

出典：The Art Market 2020, an Art Basel & UBS Report
©Arts Economic (2109-2020) オリジナルに筆者が一部加筆

表2　2008〜2019年アート市場規模推移

か。

中国の桁外れな富裕コレクター

長江（揚子江）河口の西側に位置するのは、急ピッチで整備が進む広大な「上海西岸文化回廊（以下、ウエスト・バンド）」です。同地区の開発自体はもちろん政府・自治体主導ですが、その中核を担っているのは富裕な個人コレクターたちです。

２０１５年11月９日クリスティーズ・ニューヨークのオークションでは、アメディオ・モディリアーニ（Amedeo Clemente Modigliani, １８８４〜１９２０年）の《横たわる裸婦》（１９１７〜１９１８年）（図14）が

1億7040万ドル（約210億円）で落札されました。

オークション史上2番目の記録的高額で同作品を手に入れたのは、自らを「土豪（成金）」と称す劉益謙（リュウ・イーチエン）でした。タクシー運転手から身を起こし、露天商、バッグ製造業を経て、株や不動産投資で巨万の富を築いた立志伝中の人物です。

図14　アメディオ・モディリアーニ《横たわる裸婦》1917〜1918年、カンヴァスに油彩、59.9×92cm

彼は2014年4月9日サザビーズ香港でも、《明成化闘彩鶏缸杯》（15世紀）を中国製陶磁器としては（当時）史上最高価格の3605万ドル（約36億7200万円）で落札しています。

劉が夫人の王薇（ワン・ウエイ）とともに館長を務める美術館は、ウエスト・バンド中心に位置する、天井高30メートルの巨大な元石炭積み卸し施設を改築した「龍美術館（ロン・ミュージアム）・西岸館」（図15、62ページ）です。

さらに同美術館から北へ1・5キロメートルほど進めば、インドネシア華僑であるブディ・テックのコレクションと、グローバル・レベルの特徴的な企画展が

（上）図15　龍美術館・西岸館、筆者撮影
（下）図16　上海油罐芸術中心、筆者撮影

同時に開催されている「余徳耀美術館（ユズ・ミュージアム）」が見えてきます。

そして、この2館に加えて最近大きな注目を集めているのが、「上海油罐芸術中心（タンク・シャンハイ）」（図16）です。ウエスト・バンドには世界的なギャラリーが軒を連ね、中国人コレクターたちも競って、自らのコレクションを展示するプライベート・スペースを設けています。その中でも前述の劉と並び一頭地を抜いているのが、カラオケ・クラブの経営で巨万の富を得た喬志兵（チャオ・ジービン）が、5基の巨大な航空機用燃油タンクを転用したこのアート・センターです。

次節で具体的な数値にも触れますが、以上のような桁外れに富裕なコレクターたちが中国アート市場をリードし、今やその規模はトップであるアメリカ合衆国（以下、米国）に迫りつつあります。

世界一高額なアート作品の所有者は誰か

さて、《横たわる裸婦》落札から2年後の２０１7年11月15日、レオナルド・ダ・ヴィンチ作品としては最後の個人所有であった《サルバドール・ムンディ（世界の救世主）》（図17、64ページ）が、４億５０３１万２５００ドル（約５０８億円）という史上最高価格で落札されました。

これまでも、取引価格が2億５０００万ドル以上に上るセザンヌ《カード遊びをする人々》や、約３５５億円といわれるゴーギャンの《いつ結婚するの》など印象派を中心とするマスター・ピースは、高額の一途を辿っていました。それは、第3章で後述するように優れたアート作品が、極めて換金性の高い金融商品であるだけではなく、地域興しの切り札として欠かせないパワーを有しているからです。

当初《サルバドール・ムンディ》購入者として最有力視されていたのは、サウジアラビア

図17　レオナルド・ダ・ヴィンチ《サルバドール・ムンディ》1490 〜 1519 年頃、くるみ板に油彩、45.4cm × 65.6cm

王国（以下、サウジアラビア）のムハンマド・ビン・サルマン皇太子（以下、ムハンマド皇太子）でした。しかしその後は、アラブ首長国連邦（以下、ＵＡＥ）のアブダビ文化観光局という説がまことしやかに囁かれはじめます。サウジアラビアの文化相であるバドル・ビン・アブドラ王子が、ＵＡＥの代理として同作品を落札、仲介役を果たしたことから、ムハンマド皇太子購入説が広まったものと考えられます（結果的に落札者は、現在も特定できていません）。

同作品落札と同時期の２０１７年11月に、アブダビ首長国の威信をかけた大型文化プロジェクト「ルーヴル・アブダビ」が開館します。フランスの建築家ジャン・ヌーヴェル（Jean Nouvel, １９４５年〜）設計による同館の建物は、アラブ諸国の入り組んだ市街地メディナに想を得た、55棟の箱型低層パビリオンを直径１８０メートルにも及ぶ、巨大ドームが覆う独特の形状です。

ドームは７８５０もの金属製星型構造体で構成されており、８層のレイヤーが少しずつずれているため、まるで木漏れ日のような太陽光効果をもたらしています。加えて、総床面積９２００平方メートルを超える空間には、23の展示室やレストラン、ミュージアム・ショップなどが収容されています。フランス国外で〃ルーヴル〃の名を冠した美術館は、現在までのところ、唯一このルーヴル・アブダビのみです。

しかしながら同館は、理由を明らかにしないまま、２０１９年9月に予定されていた《サルバドール・ムンディ》の展示延期を発表しました。また、ルーヴル美術館（パリ）で開催された、没後５００年記念の大規模な『レオナルド・ダ・ヴィンチ』展（会期：２０１９年10月24日～２０２０年2月24日）にも出品されませんでした。

そうした中、２０１９年6月、複数の関係者から、同作品がサウジアラビアのムハンマド皇太子が所有する豪華クルーザー「セリーン号」に保管されているとの報道が世界を駆け巡りました。果たして、世界一高額なアート作品の所有者は一体誰なのでしょうか。

２０２０年の歴代最高価格アート作品ＴＯＰ10（表3、66ページ）を、ご覧下さい。上位

順位	アーティスト名	作品名	落札額（ドル）
1	レオナルド・ダ・ヴィンチ（1452-1519）	サルバドール・ムンディ（世界の救世主）	4億5,031万
2	ポール・ゴーギャン（1848-1903）	ナフェア・ファア・イポイポ（いつ結婚するの）※	3億
3	ポール・セザンヌ（1839-1906）	カード遊びをする人々※	2億5,000万
4	パブロ・ピカソ（1881-1973）	アルジェの女たち（バージョン"O"）	1億7,936万
5	アメデオ・モディリアーニ（1884-1920）	横たわる裸婦	1億7,040万
6	パブロ・ピカソ（1881-1973）	夢	1億5,500万
7	フランシス・ベーコン（1909-1992）	ルシアン・フロイドの三習作	1億4,240万
8	アルベルト・ジャコメッティ（1901-1966）	指さす人	1億4,128万
9	ジャクソン・ポロック（1912-1956）	No.5	1億4,000万
10	ウィレム・デ・クーニング（1904- 1997）	女Ⅲ	1億3,750万

※：オークションではなく相対取引、筆者作成

表3　歴代最高価格アート作品TOP10

5作品のうち、4位のピカソ（第3章93〜94ページで後述）を除き網かけした4作品はすべて、上からサウジアラビアのムハンマド皇太子、またはUAEのアブダビ文化観光局、続いて2点はカタール王室、そして5位は中国の劉益謙と、中東の産油国および中国で占められています。いかに彼らのバイイング・パワーが並外れているか、ご理解いただけたものと思います。

ちなみに英国の美術専門誌『アート・レビュー』が毎年発表する「パワー100（アート

界で最も影響力のある人物トップ１００）」は、２０１３年にカタール首長シャイフ・タミーム・ビン・ハマド・アール＝サーニーの妹にあたる、アル・マヤサ・ビント・ハマド・ビン・ハリファ・アルサーニ王女を第１位に選出しています。

メジャー・ミュージアムの館長、あるいは年間数千億円の売り上げを誇るメガ・ギャラリーのオーナーたちを抑え、彼女が高く評価された理由は、アート作品に対する並外れた購買力です。彼女は同国の博物館・美術館を束ねるカタール・ミュージアムズ・オーソリティーのトップとして、年間およそ10億ドル（約１１００億円）を作品購入に費やしたといわれています。これは、当時のニューヨーク近代美術館・年間作品購入予算の約30倍に相当します。[*4]

２・２　国別に見るアート市場

前節では、中国および中東の産油国がリードする、コロナ感染拡大直前のアート市場についてご紹介しました。第２節においては、アート市場における国別占有率が、厄災の一時的な鎮静化、あるいは収束後にどのような影響を及ぼすのか、感染状況に鑑みながら予想して

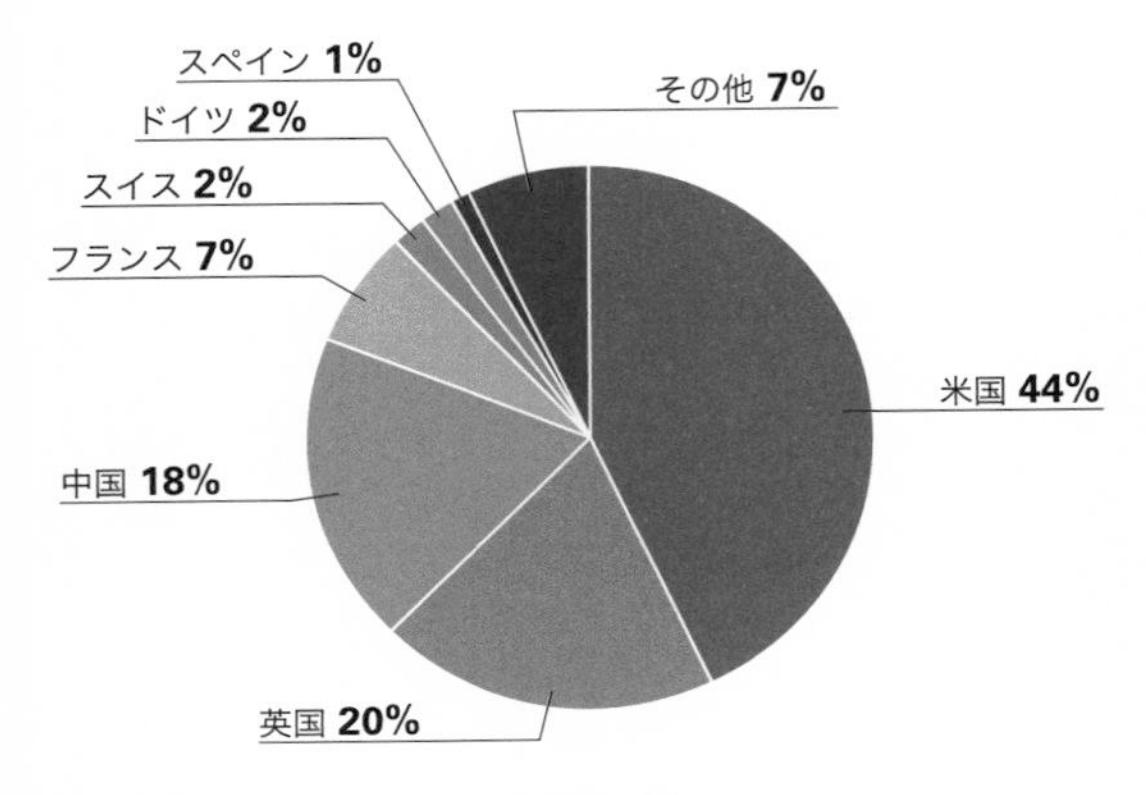

出典：The Art Market 2020, an Art Basel & UBS Report
©Arts Economic（2020）を基に筆者が一部加筆

図18　2019年国別アート市場占有率

いきたいと思います。

米・英・中で約9割

２０１９年の国別アート市場占有率（オークション売上を基に作成、図18）を見ると、米国、中国、英国の上位３ヶ国で市場全体のおよそ9割を占めています。ただし前年と比較すれば、第2位英国と第3位の中国は逆転していることがわかります（図19）。しかも金額を見れば、中国が約８５００億円減少と大きく後退しています。２０１８年3月に米国が中国産の鉄鋼などに25パーセントの関税をかけて以降、日増しに深刻化する米中貿易摩擦がアート市場にも少なからず影響を及ぼし

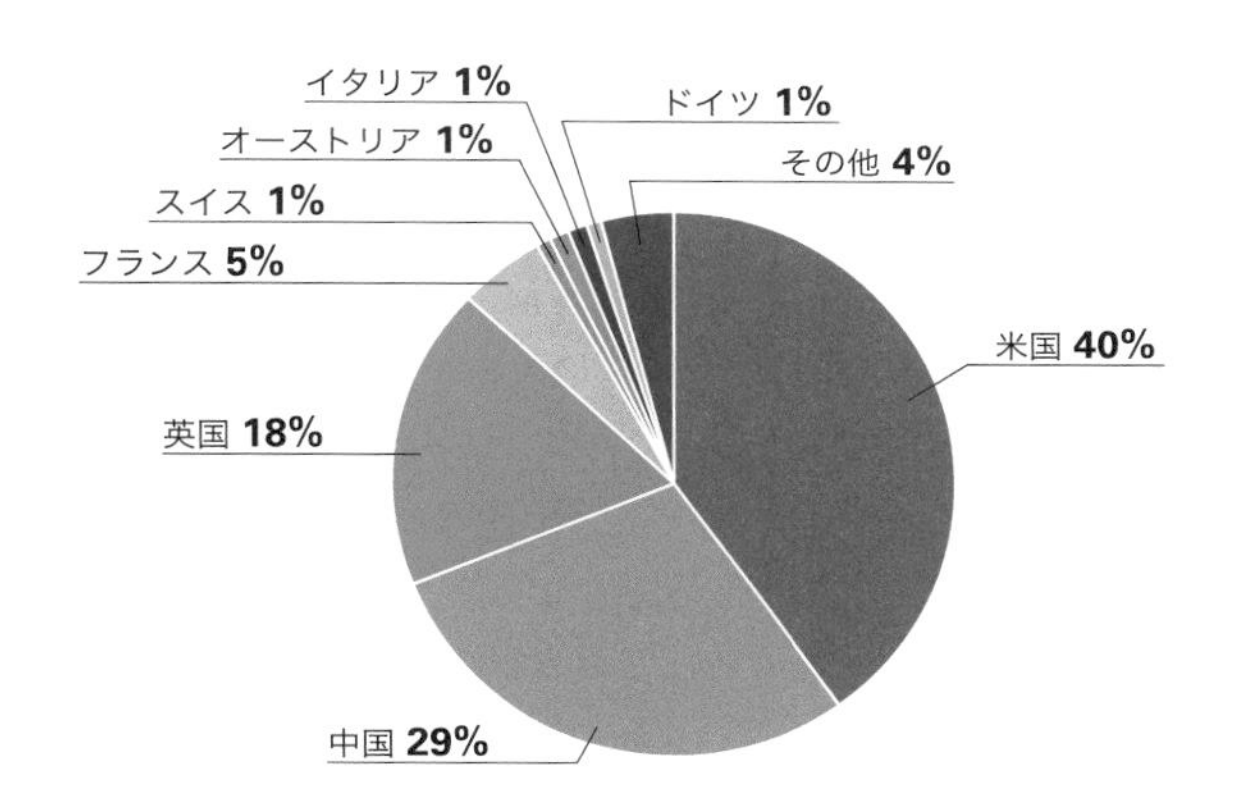

出典：The Art Market 2020, an Art Basel & UBS Report
©Arts Economic (2019) を基に筆者が一部加筆

図19　2018年国別アート市場占有率

ていたことを示しているといえます。

ちなみに日本は１パーセントのシェアもないのですが、それもそのはずで、日本におけるアート産業規模は３５９０億円であり、そのうち、美術品市場は２５８０億円しか存在していないからです。[*5]

ただし、これにはカラクリがあり、世界第1位と2位のオークション・ハウスであるクリスティーズとサザビーズがメイン・セールを開催しているのは、原則としてニューヨーク、ロンドン、そして香港の3箇所だけだからです。そうでなければ、ファッション通販サイトの日本人創業者が、２０１６年５月クリスティーズ・ニューヨークで、ジャン＝ミシェル・バスキアの《Untitled（無題）》を

順位	オークション・ハウス名	売上高(ユーロ)	占有率(%)
1	Christie's	244,006,580	28.25
2	Sotheby's	189,004,193	21.88
3	Phillips	89,961,674	10.41
4	Poly International Auction	56,323,539	6.52
5	China Guardian Auction	37,715,050	4.37
6	Hanhai Auction	23,077,565	2.67
7	Rom Bon Auction	19,877,113	2.3
8	Ravenel Art Group	16,631,453	1.93
9	Council Auction	12,794,077	1.48
10	Xiling Yinshe Auction	12,649,905	1.46

出典：The Economics of Contemporary Art: Markets, Strategies and Stardom by Alessia Zorloni ©Arts Economic (2109-2020)

表4　世界のオークション・ハウスTOP10 (2011/2012)

5700万ドル（約62億4000万円）、翌2017年5月にはサザビーズ・ニューヨークにおいて、やはりバスキアの《Untitled（無題）》を1億1000万ドル（約123億円）で落札したこととの辻褄が合わなくなります。つまり、これら2点も米国での取引として加算されているのです。

また、（少し、古い資料ですが）アート作品競売の世界では前述の2社を除く大半が、中国系企業で占められています（表4）。なお、第8位のRavenel Art Groupは台湾企業ですが、売上の過半を中国本土の顧客が占めていることは想像に難くありません。

台風の目は中国のアート市場

続いて、前年２０１８年と２０１９年の実績を比較しながらご覧下さい。中国がたった１年間で、およそ10パーセントも数値を下げていることがわかります。２０２０年１月17日に発表された、同国の２０１９年ＧＤＰ（国内総生産）成長率は約６・１パーセントでした。２０１８年が前年比約６・６パーセント、２０１７年は同約６・８パーセントであることから、徐々にではありますが同国経済は減速しています。

その主な理由として、過剰なインフラ投資に依存する地方経済や、ピークを迎えた同国の生産年齢人口（15～64歳）、そして後述する米中対立による輸出の減少を挙げることができます。最大の強みである安価で豊富な労働力を活かした「世界の工場」化も、米国との貿易摩擦や、それに追い打ちをかける今回のコロナ禍により、アジアの新興国へと生産移管が進みつつあります。しかしながら、世界第2位の経済大国が有するパワーは、依然として強大であるといえるでしょう。

こうした状況を俯瞰しながら、地域別の感染者数（図20、72ページ）（表5、同）を眺めてみれば、発生源の中国ではすでに鎮静化していることがわかります。一方で米国は感染者、

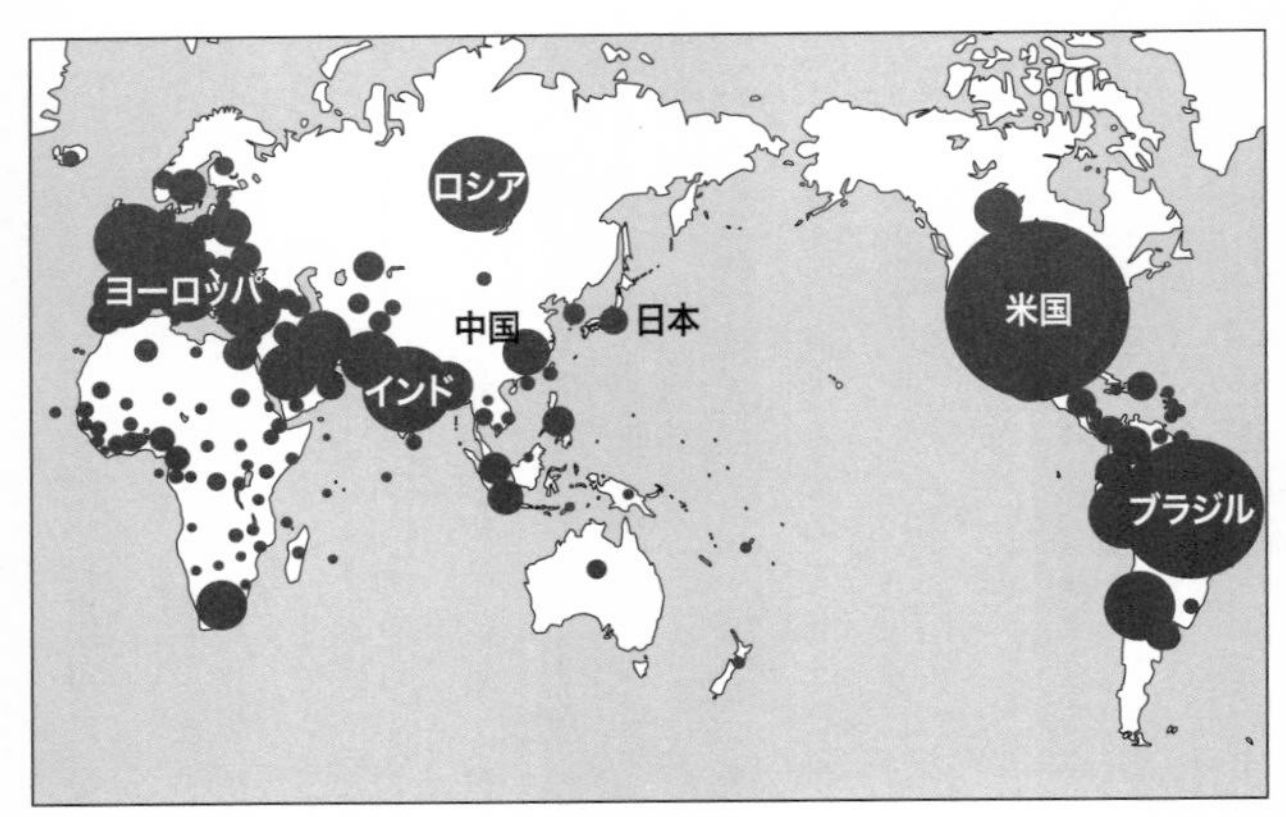

出典：日本経済新聞 「新型コロナウイルス感染 世界マップ」
ⒸMapbox, ⒸOpen Street Map,

図20　コロナウイルス感染状況(感染者数)世界地図、2020年6月22日現在

順位	国名	累計感染者数
1	米　国	2,279,306
2	ブラジル	1,803,341
3	ロシア	583,879
4	インド	410,461
5	英　国	304,331
6	ペルー	251,338
7	スペイン	246,272
8	チ　リ	242,355
9	イタリア	238,499
10	イラン	204,952

出典：外務省 海外安全ホームページ 「各国・地域における新型コロナウイルスの感染状況」

表5　コロナウイルス国別累計感染者数、2020年6月22日現在

死亡者数とともに増え続けています。ヨーロッパ各国も英国の第5位を筆頭にスペイン、イタリアは減少しつつあるものの、予断を許さない状況です。アート市場全体の約9割近くを占める3ヶ国のうち、中国以外は今もなお厳しい状況にあるため、今後のアート市場に対する影響は決して少なくないと予想できます。

武漢の都市封鎖が解除された２０２０年４月初旬以降、中国ではあらゆる社会状況がコロナウイルス発生前へと戻りつつあります。もちろん、同年４月22日に71人の感染者発生により、黒龍江省の省都ハルビンに対する準封鎖措置を実施するなど、第２波への警戒感も高まってはいます。しかし、北京や上海では多くの商店が通常営業に戻り、美術館やギャラリーも再開し、多くの人々で賑わっています。

図21　2020年４月26日に再開されたシャンアート・ギャラリーで、入場待ちする長蛇の列（同ギャラリーのInstagramより）、Courtesy of ShanghART Gallery

２ヶ月半振りに再開した中国を代表するギャラリー「シャンアート・ギャラリー」（上海、ウエスト・バンド）では、開店前から再オープンを待つ人々が長蛇の列を作っていました（図21）。また、２０２０年４月11日に中国・広州の旗艦店を移転オープンしたエルメスは、その日１日で少なくとも１９００万元（約２億８５００万円）以上を売り上げ、同国における１日の売上高で過去最高に達したと報じられています。[*6] コロナ禍で抑圧されていた富裕層の消費マインドが、一気に爆発した顕著な例といえそうです。

以上の状況から考えれば、中国アート市場はいち早く回復し、引き続き世界のマーケットを牽引する台風の目となる可能性を大いに有しているといえます。

〝米中貿易戦争〟とアート界

米国では2020年4月23日、コロナウイルス感染拡大で壊滅的な打撃を受けている経済の再活性化へ向け、4830億ドル（約52兆円）にも上る追加経済対策案の可決を発表しました。[*7] そしてドナルド・トランプ大統領（Donald John Trump, 1946年〜）は同年4月27日、コロナウイルスに関する対中国損害賠償請求の可能性にも言及しました。しかもその総額は、ドイツのメディアが算出した1650億ドル（約18兆円）を大きく上回るといわれています。[*8]
ただでさえここ数年にわたり、米中関係は〝貿易戦争〟ともいうべき様相を呈しています。両国間の争いは、2017年の対米貿易黒字額が2758億1000万ドルに達し、過去最高であったこと（2018年1月、中国税関総署が発表）に端を発します。

「対中貿易赤字」と「貿易不均衡」の解消を公約に掲げて当選したトランプ大統領は、直ちに緊急輸入制限（セーフガード）を発動。太陽光発電パネルや電化製品に対する追加関税を課しました。以降米国は、鉄鋼やアルミ製品に対する同様の措置を矢継ぎ早に決定していきます。一方、中国商務省は128品目の米国製品に対して約30億ドルの追加で関税を賦課する報復計画を発表、事態は泥沼化していったのです。[*9]

さらには、米国内の次世代通信規格5G（第5世代移動通信システム）ネットワーク建設において、安保上の理由で中国・華為技術（ファーウェイ）製通信機器の採用を認めず、欧州や日本などにも同社排除の圧力をかけています。[*10]

こうした〝貿易戦争〟は、アート界とも無縁ではありませんでした。2018年9月米国は対中関税措置第3弾として、6031品目に対する税率を10パーセントから25パーセントに上げることを発表。その中には、古美術から絵画、版画まで広範な美術品も含まれていました。[*11]

しかし、一旦は両国間で譲歩が成立します。ところが翌2019年の9月2日には、書籍を含む中国の美術品に対する米国輸入関税は15パーセントへと変更されています。[*12] 長い目で見れば、同国におけるメジャー・ミュージアムの中国美術コレクション形成に、少なからず影響を与えることは避けられないでしょう。

さて2020年夏の段階では、コロナ禍から一足先に抜け出た中国が、経済復興に関する動きを加速させると考えられています。また、5Gの技術開発や普及に欠くことのできない実社会での広範な導入実験と、自力による技術開発および価格競争力の形成には、一党支配体制や社会主義計画経済が極めて優位に働きます。そう考えると、2020年11月にトランプ大統領が再選された場合には、貿易摩擦とコロナウイルス責任問題を巡る米中対立はますます激化、新たな冷戦時代到来も懸念されます。

2・3　原油価格の暴落とアート市場

2020年4月20日、米国のニューヨーク・マーカンタイル取引所（NYMEX）において、米国産WTI原油[*13]先物価格（5月物）が1バレル＝マイナス37・63ドルと、史上初のマイナス価格を付けました[*14]（図22）。コロナ禍による世界経済の停滞と、外出・移動の禁止および自粛がエネルギー需要を急減させ、原油供給が過剰になっていたことが要因です。急落

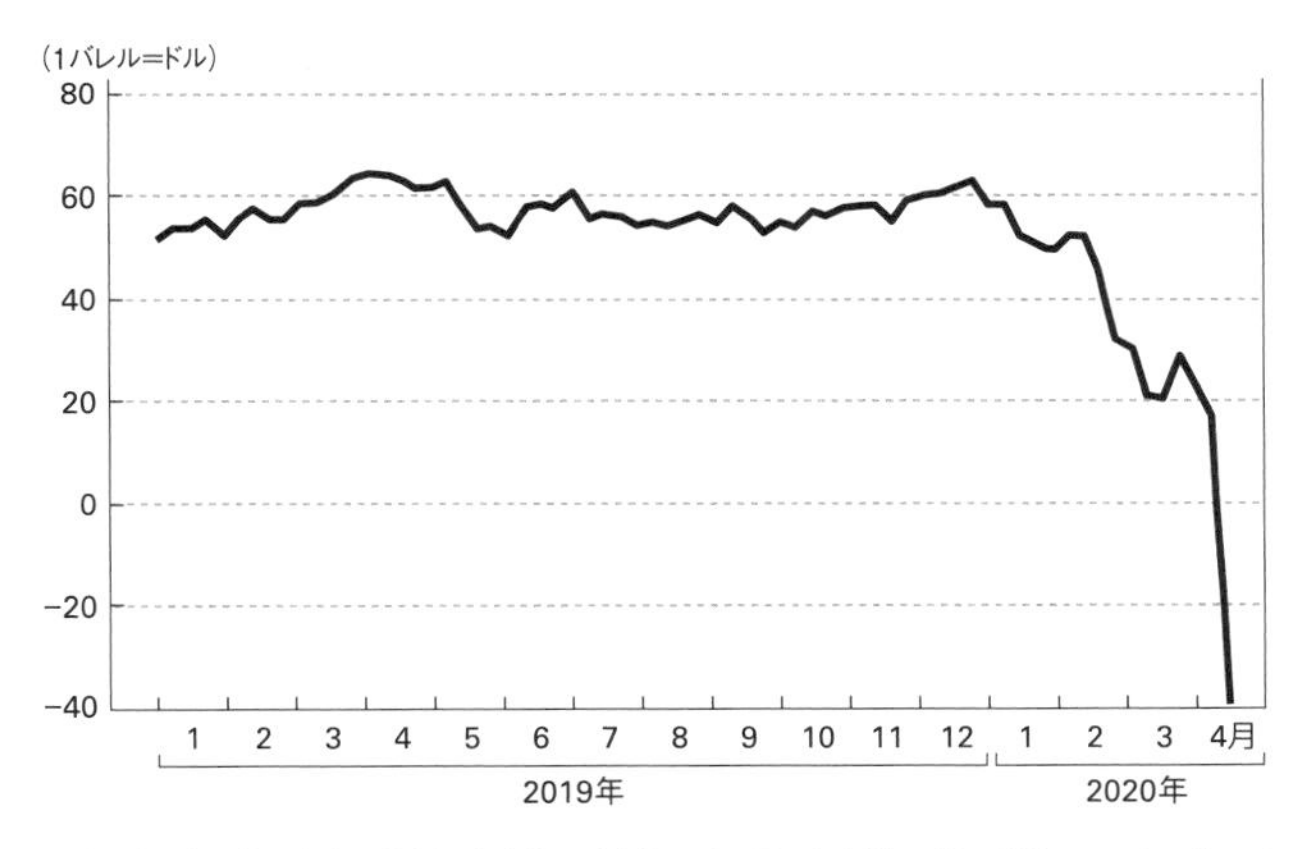

出典：「原油暴落が表す深刻な経済減速　歴史的スピードで在庫増」、朝日新聞、2020年４月21日

図22　米国産WTI原油先物価格の推移

後は多少持ち直していますが、依然として原油価格は下落傾向にあります。ＯＰＥＣ（石油輸出国機構）や非加盟産油国は、価格安定化のために減産を協議。結果的に、全世界原油生産量の約１割にあたる日量９７０万バレルへ減らすことで合意に達しました。[*15]

原油価格の暴落・減産は、破竹の勢いであった中東・産油国におけるアート市場の隆盛を衰微させかねません。前節でご紹介したサウジアラビアやＵＡＥは世界有数の産油国（表6、78ページ）であり、豪胆な投資の原資はすべて石油や天然ガスから得ています。

また、全世界でおよそ9割のアート市場占有率を誇る３ヶ国のうち、米国も中国もそれぞれ第1位と第8位にランキングされていま

順位	国名	生産量 （バレル/日）
1	米　国	15,311,000
2	サウジアラビア	12,287,000
3	ロシア	11,438,000
4	カナダ	5,208,000
5	イラン	4,715,000
6	イラク	4,614,000
7	アラブ首長国連邦（UAE）	3,942,000
8	中　国	3,798,000
9	クウェート	3,049,000
10	ブラジル	2,683,000

出典：外務省 いろいろ雑学ランキング 「1日あたりの原油の生産量の多い国」
BP Statistical Review of World Energy 2019－Oil: Production, 2018

表６　原油生産量世界TOP10

す。また、残りの1ヶ国である英国も上位10国に名を連ねてはいませんが、北海油田を擁すＥＵ加盟国（当時）では最大の原油生産・輸出国です。したがって、原油価格の下落がアート市場に及ぼす影響は非常に大きいといえるでしょう。

　また、２０２０年1月3日に、イラン革命防衛隊コッズ部隊のカセム・ソレイマニ司令官が米軍無人機による攻撃を受け死亡しました。その結果を受け、同年2月21日の総選挙では反米を唱える強硬派が圧勝しています。加えて、米国のみならず、シーア派の中心であるイランは、サウジアラビアを盟主とするスンニ派との対立も鮮明にして孤立を深めています。

　加えて、追い打ちをかけるように、米国を中心とする欧米各国の経済制裁と甚大なコロナ禍は、同国経済の著しい低迷を加速させています。中東地域の情勢が不安定になれば、原油減産合意の破綻や、イスラム過激派組織ＩＳＩＬの生き残りによるテロが活発化するなど、国際社会・経済に対する影響も決して小さくはないでしょう。

原油価格の高下は、全アート市場の趨勢を握る米・英・中３ヶ国に加え、ここ数年マーケットを牽引してきた中東・産油国の動向をも大きく左右する重要なキー・ファクターなのです。

２・４　コロナ禍とアート・フェア

世界中に感染が広がってから、各地のアート・フェアは続々と中止に追い込まれています。

運よく今年（２０２０年）開催に漕ぎ着けたグローバル規模のフェアは、「台北當代（タイペイダンダイ）」（会期：２０２０年１月16日～19日、ただし16日はプレビュー、会場：台北南港展覧館）が唯一です。

元アート・バーゼル香港のディレクターであったマグナス・レンフリュー（Magnus Renfrew, １９７５年～）が２０１９年に創設・開催した同フェアは、２回目となる２０２０年もガゴシアン・ギャラリーやデイヴィッド・ツヴィルナー、ハウザー＆ワースといったメガ・ギャラリーに加え、地元台湾を代表するエスリート・ギャラリーやティナ・ケン・ギャラリーなどをバランスよく加え、前年を上回る99軒の出展に成功しました。入場者数も４日間（内、プレビュー１日）で、前回の２万８０００人を大きく超える４万人へと達し、セールス的にも非常に好調であったといわれています。

一方、対照的であったのは、同年３月17日～21日（17、18日はプレビュー）に開催が予定されていた「アート・バーゼル香港」（会場：香港コンベンション&エキシビションセンター）でした。そもそもコロナ禍以前から、彼の地は民主化デモで大いに揺れていました。

２０１９年６月からは、「逃亡犯条例改正案の完全撤回」や「普通選挙の実現」を含む「五大要求」[*16]の達成を目指してデモは日々激化していきます。特に６月16日のデモには、主催者側発表によれば約２００万人が参加。[*17]１９９７年の香港返還以来最大の規模となり、香港市民４人に１人が参加した計算となります。

その後、８月12日から15日にかけてはデモ隊が香港国際空港を占拠したことで数百便が欠航、ほぼすべての便に遅延や運航スケジュールの変更が生じました。[*18]こうした状況を受け、林鄭月娥（キャリー・ラム）（Carrie Lam，１９５７年～）行政長官は、２０１９年10月23日に逃亡犯条例改正案を正式に撤回したのです。

その後も、デモは年末まで断続的に続いていたため、12月16日アート・バーゼルはフェアの開催決行発表とともに、出展ギャラリーにブース代を75パーセント返金するキャンセル受け付けを決めています（結果的に、わずか一握りのギャラリー以外は、参加を希望したようです）。

しかしながら、コロナウイルス感染拡大に伴い、激しさを増す中国本土との境界封鎖要求デモやストライキを勘案。２月７日には、アート・バーゼル香港２０２０の中止を決定しました。また、アート・バーゼル２０２０（スイス・バーゼル）も、当初の会期であった６月19日〜26日を９月17日〜20日に延期して開催を検討していましたが、６月６日に中止を発表しています。

一方、アート・バーゼルと並びヨーロッパを代表する「フリーズ・ロンドン」（会期：２０２０年10月８日〜11日）と、パリの「FIAC2020」（会期：２０２０年10月22日〜25日）は、今のところスケジュール通りの開催を予定しています。後者は２０２４年のパリ五輪を目前に控え、会場のグラン・パレ[*19]が改修されるため、今年から数年間はシャン・ド・マルス公園内[*20]のグラン・パレ・エフェールに移動して開かれるようです。

米国とヨーロッパの感染状況が依然危険水域にある間は、年内に予定されているアート・フェア開催も予断を許さない状況といえるでしょう。なお、香港とロンドンにおけるウィズ

／ポスト・コロナ時代のアート市場予測については、次章で詳しく述べたいと思います。

追記
フリーズ・ロンドンは２０２０年7月16日に、また、ＦＩＡＣも同年9月14日に、今年のフェア開催中止を決定・発表しました。

本章では、ポスト・コロナのアート市場と比較するため、感染拡大直前の状況について、改めて確認しました。また、コロナ禍が既にアート界に及ぼしている影響についても、社会、経済動向との関連性に焦点を当てながらレポートしてきました。
次章では、いよいよ「ウィズ／ポスト・コロナ時代のアート市場動向」について、様々なデータやキー・プレイヤーたちの証言を基に予測していきたいと考えています。

第3章
アートは死なず

3・1　コロナで変わるビジネスと富裕層

コロナウイルスの感染拡大によるロックダウンや緊急事態宣言などにより、各国の経済状況は急速に悪化しています。前章でも述べましたが、全世界の国内総生産（GDP）は、最大で5兆4900億ドル（約600兆円）失われると試算されています。

しかし、こうした状況の中、いや、逆にこうした状況だからこそ、好調を極めている業種やサービスも存在しています。未曾有の経済危機は、富裕層のアート作品に対する購買意欲を削いでしまうのか？　それともゲーム・チェンジャーと呼べるような、新たなコレクターの登場を促すのか？　本節では個人資産に焦点を当てながら、ウィズ／ポスト・コロナのアート市場動向を考えていきます。

コロナ禍での外出禁止あるいは自粛によって、売上を伸ばした業界の筆頭に挙げられるのはオンライン・コンテンツ配信とeコマースでしょう。Netflixの会員数は2020年1〜3月期に1577万人も増加し、会員数は世界中で1億8286万人に達しています。[*1]

また、米国のウォルト・ディズニー・カンパニー（以下、ディズニー社）が、2019年

11月にローンチしたストリーミングサービスDisney+の有料視聴会員数も、わずか半年で5000万人を突破したと発表されています。[*2] ちなみに、ディズニー社最高経営責任者ボブ・アイガー（Robert Allen Iger, 1951年〜）の2018年度報酬は、およそ6600万ドル（約71億円）を記録。一般的な同社従業員給与の千倍に及ぶ額であったと指摘され、世間から強い批判が巻き起こりました。[*3]

さて、数あるeコマース企業の中でも、米国小売り最大手であるアマゾン・ドット・コム（以下、アマゾン）の業績は群を抜いています。同社は2020年第1四半期（1〜3月）売上高を、前年同期比26パーセント増の755億ドル（約8兆3000億円）としています。[*4] また、在宅勤務やオンライン会議といったコロナ感染下の働き方改革によって、Zoomは市場予想を遥かに上回る業績を上げ、第1四半期の売上高は前年同期比169パーセント増の3億2820万ドルにまで達しています。[*5] これ以外でもフード・デリバリー・サービスに加え、食料品や耐久消費財を扱うスーパー・マーケットやドラッグ・ストアも非常に好調な業績を上げています。

順位	名前	保有資産額		収入源(職業)	国
		ドル	円		
1	ジェフ・ベゾス	1,130億	12兆4,300億	アマゾン共同創設者兼CEO	米国
2	ビル・ゲイツ	980億	10兆7,800億	マイクロソフト共同創業者兼顧問	米国
3	ベルナール・アルノー	760億	8兆3,600億	LVMH&クリスチャンディオール取締役会長	フランス
4	ウォーレン・バフェット	675億	7兆4,250億	バークシャー・ハサウェイCEO	米国
5	ラリー・エリソン	590億	6兆4,900億	オラクル共同創業者兼会長兼CTO	米国
6	アマンシオ・オルテガ	551億	6兆610億	インディテックス社(ZARA)創業者	スペイン
7	マーク・ザッカーバーグ	547億	6兆170億	Facebook共同創業者兼CEO	米国
8	ジム・ウォルトン	546億	6兆60億	ウォルマート創業一族	米国
9	アリス・ウォルトン	544億	5兆9,840億	ウォルマート創業一族	米国
10	ロブ・ウォルトン	541億	5兆9,510億	ウォルマート創業一族	米国

出典：Forbes, World's Billionaires List "The Richest in 2020"

表7　2020年世界の富裕層TOP10

「富のピラミッド」とアート作品

２０２０年「世界の富裕層ＴＯＰ10」（表７）をご覧下さい。業績好調企業としてご紹介したアマゾンの最高経営責任者ジェフ・ベゾスが資産・約12兆４３００億円で第１位になっています。また、第８～10位に名を連ねているのは、世界最大のスーパーマーケット・チェーンであるウォルマートの創業者一族であり、非王族では最も富裕なファミリーといわれています。ちなみに、日本の西友は同社にとって子会社となります。

さらに、一人勝ちの様相を呈しているZoomは、アマゾン ウェブ サービス（ＡＷＳ）[*6]とオラクル・クラウドにとっての大口顧客です。従

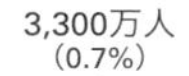

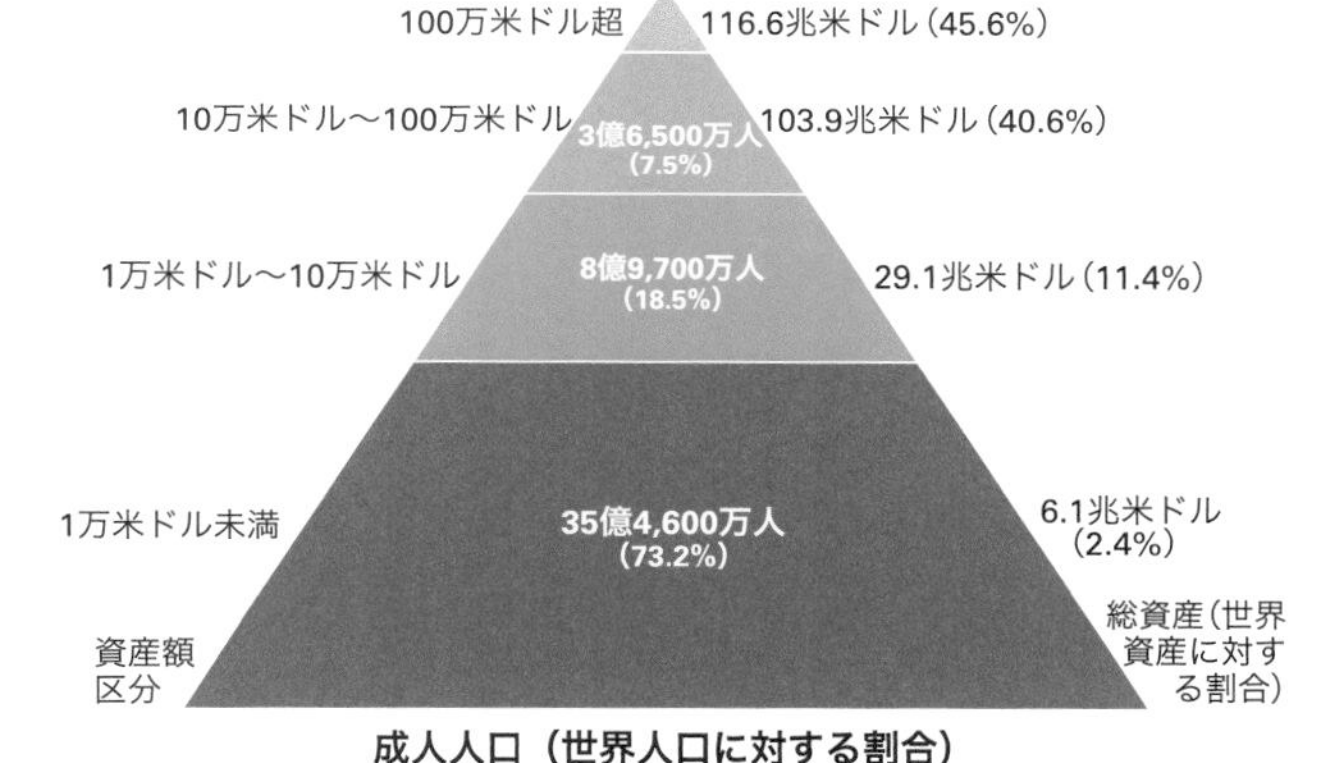

出典：James Davis, Rodringo Liuberas and Anthony Shorrocks, Credit Suisse Global Wealth Databook 2016

図23　富のピラミッド（2016年）

って、ジェフ・ベゾスと第5位のラリー・エリソンの資産は、今後ますます増加していくことになりそうです。

さて、続いて「富のピラミッド」（図23）をご覧下さい。一番下の土台部分は保有資産が１万ドル（約１００万円）未満の人々で、世界全体のおよそ7割を占めています。その１つ上は１万〜10万ドル（約１１０万円〜１１００万円）で２割弱。さらにその上が10万〜１００万ドル（約１１００万円〜１億１０００万円）を保有する約７・５パーセントの人々です。

ピラミッドの頂点に位置するのは、資産１００万ドル（約１億円）を超えるいわゆるミリオネア（百万長者）と呼ばれる富裕層です。彼らは全人口の、わずか０・７パーセントに過ぎません。しかし、その保有資産総額では、全世界の45・6パーセントをも占めています。つまり、トップ1パーセント未満とその他99パーセント以上の層で、世界の富が二分されるという強烈な格差社会を示しているのです。

「世界の富裕層TOP10」にランキングされているようなビリオネア（億万長者）は、生きている間に自らの資産を使い切ることが果たして可能なのでしょうか。毎日限界まで使ったとしても、すでに消費し尽くせないほどの資産を有している彼らが、（消費によって）満足を得ることは最早不可能といえるでしょう。

しかしながら、多くの富裕層はウェルス・マネジャーと呼ばれる資産管理人や、プライベート・バンクを利用することで、自らの富をさらに増やそうとしています。消費から得られるいわゆる物欲とは異なり、資産を「成功の記号」や「権力の象徴」として追い求めているからかもしれません。[*7]

彼らにとって、容易に到達できない自己の成功や莫大な資産を可視化し、単純な物欲に代わって満足感を提供し得る代表例が、フィランソロピーやアート作品のコレクションといえるでしょう。

世界第1位の経済大国を作り上げたロックフェラーやカーネギー、メロンといった一族は、積極的に慈善活動を行うとともに、ワシントンのナショナル・ギャラリーやメトロポリタン美術館などに、不朽の名作を数多く寄贈しています。彼らの名を冠したギャラリー（部屋）やウィング（棟）も、少なくありません。

また、一方で傑作と呼ばれる作品は数百億円の価値を有し、将来の価格上昇も期待できる有望な投資対象でもあります。

２００７年5月15日サザビーズ・ニューヨークで、マーク・ロスコ（Mark Rothko, １９０３〜１９７０年）の《ホワイト・センター》（１９５０年）が、７２８４万ドル（約87億７４００万円）で落札されました。同作品は、出品者のデイヴィッド・ロックフェラー（David Rockefeller, １９１５〜２０１７年）が、１９６０年にわずか1万ドル未満で購入したものでした。すなわち47年間で、その資産価値がおよそ８８００倍にまで膨らんだことを示しています。

こうした優れた資産性に加えて、「権力」や「名誉欲」、さらには特別な「物欲」までをも満たすことが可能なアート作品は、富裕層にとって唯一無二の存在といっても過言ではないでしょう。事実、ビル・ゲイツやベルナール・アルノー、そしてラリー・エリソンはコレクターとしても有名です。

コロナ感染拡大が引き起こす景気低迷によって、一時的にアート市場が縮小することはあるかもしれません。しかし、数年で従前の規模を超えることは、リーマン・ショックの事例（後述）から、まず間違いないでしょう。

実際、彼らの消費意欲はまったく衰えていませんでした。２０２０年６月以降米国では、安全な空間や移動手段を求める富裕層に、数十億円の豪華クルーザーやプライベート・ジェットが飛ぶように売れているそうです。一方同国では、年収４万ドル（４２０万円）を下回る層の39パーセントが仕事を失っています。[*8] 感染拡大は経済格差をさらに拡げつつあり、このことは後述する大統領選挙（92〜95ページ）の結果にも大きな影響を与えるはずです。

３・２ アート市場は必ず復活する

前節では、コロナウイルス流行下でも順調に業績を伸ばし続けている企業や、個人資産のさらなる加増を図るビリオネアが存在していることを述べました。また、彼ら富裕層は全人口のわずか０・７パーセントに過ぎませんが、その保有財産は全世界で45・６パーセントを占めていることもご紹介しました。

それを受けて本節以降では、ウィズ／ポスト・コロナのアート市場が示す傾向と、アート界を取り巻く環境の変化について述べていきます。さらには、そのような世相を反映した〝同時代の〟アート作品とは、一体どのようなものなのか？　具体例を挙げながら、ご紹介していきたいと思います（「現代美術」とはContemporary Artの訳語であり、Contemporaryという形容詞は、〝現代の〟と共に〝同時代の〟という重要な意味を有しています）。

常人の想像を遥かに超えた富裕層が存在する限り、彼らが求める成功や権力の象徴たるアート作品、殊に高額な傑作や名品に対する需要は決して衰えることはないでしょう。

それを見事に証明しているのが、「優良アーティスト（Artprice100©）[*9]とS&P500[*10]の価格推移比較」（図24、92ページ）です。アート市場は、未曾有の金融危機であったリーマン・ショック後も、米国の代表的株価指数以上に急速かつ大幅に回復・伸長しているからです。このことは、たとえ世界中を揺るがす未曾有の金融危機が訪れたとしても、アート市場が数年で立ち直ることを雄弁に物語っています。

ところで同じグラフからは、2016年にも市場がやや落ち込んでいる状態が見て取れます。グローバルな金融状況とアート市場の関係や、世界のアート・センターであるニューヨ

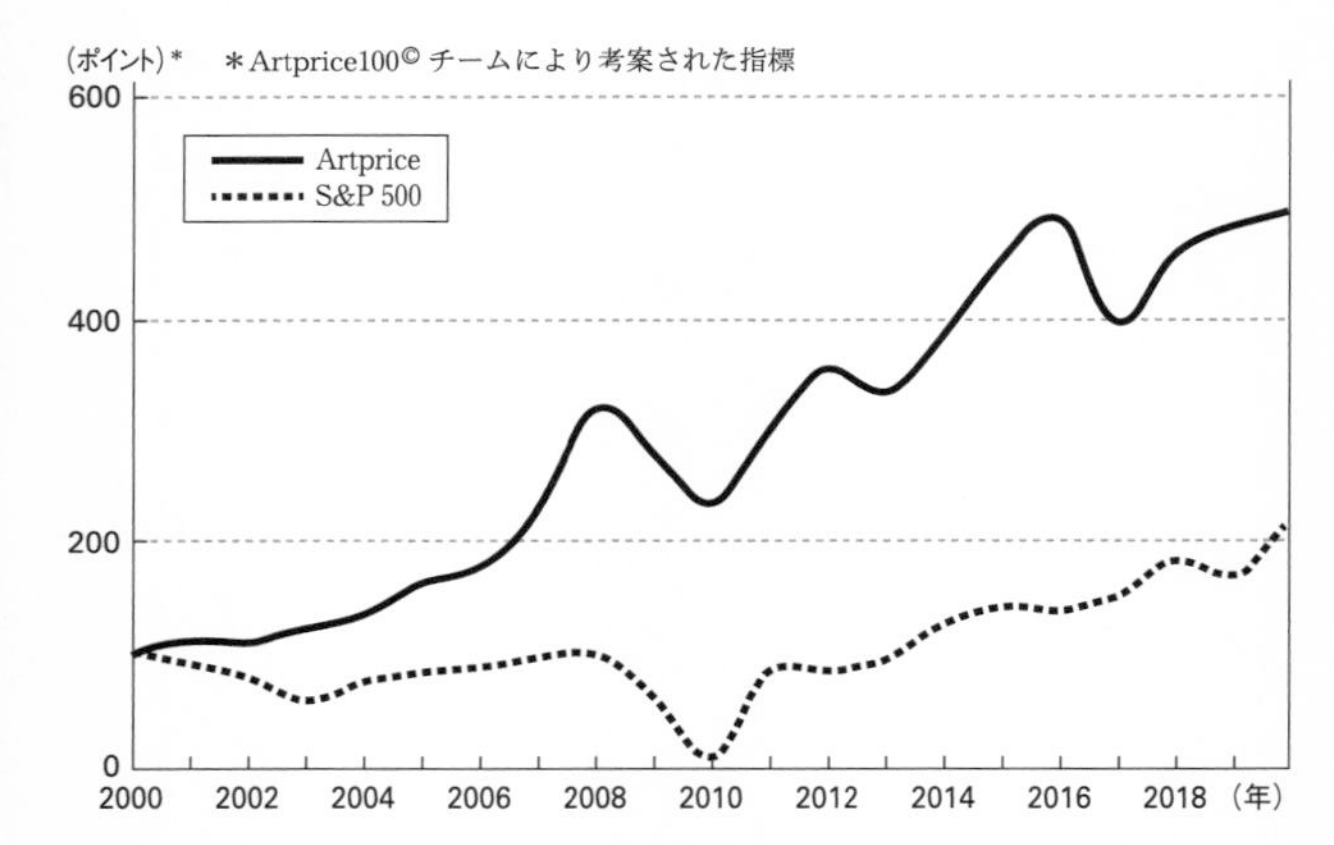

出典：Artprice100© vs S&P 500 since 2000, ArtMarket.com

図24　優良アーティスト（Artprice100©）とS&P500の価格推移比較

ークについて語る前に、米国経済における特殊事情についても触れておきたいと思います。

前述した市場の落ち込み（2016年）は、米国大統領選挙に伴う不安定な金融市場の状況に鑑み、ディーラーもコレクターも洞ヶ峠（ほらがとうげ）を決め込んでいた（日和見主義）ことに起因しています。

4年に一度行われる同国の大統領選挙は、二大政党である共和党と民主党内で候補者を選び、その後、大統領の座をかけて10ヶ月近い長丁場を戦います。選挙戦の行方を占う重要な地域は、主要産業が衰退した工業地帯である「ラスト・ベルト」、米国の穀物庫を意味する「コーン・ベルト」、そして移民を含めた人口増加が著しい「サン・ベルト」の3

箇所です。票の行方は当然のことながら、公約に掲げた経済政策によって大きく左右されます。

２０２０年の選挙戦では現職のトランプ大統領を擁する共和党に対し、民主党では伝統的政策を重視する「中道派」と、格差是正に向けた大規模な税制改革を主張する「左派」が拮抗する荒れ模様となっています。いずれにしても接戦が予想されるため、本選前の金融市場は足踏み状態となることが予想されています。[*11]米国にとって大統領選挙とは、それほどまでに大きな影響力を有しているのです。

図25　パブロ・ピカソ《アルジェの女たち（バージョン０）》1954～1955年、カンヴァスに油彩、114 cm × 146.4cm　© 2020-Succession Pablo Picasso-BCF (JAPAN)

さて本題へと戻りますが、２０１５年にはオークション記録を大幅に更新する、《アルジェの女たち（バージョン０）》[*12]（図25）のような優品が多数競売に付されていました。しかし翌２０１６年には、目を見張るような作品の出品が少なかったことも市場停滞の要因です。ちなみ

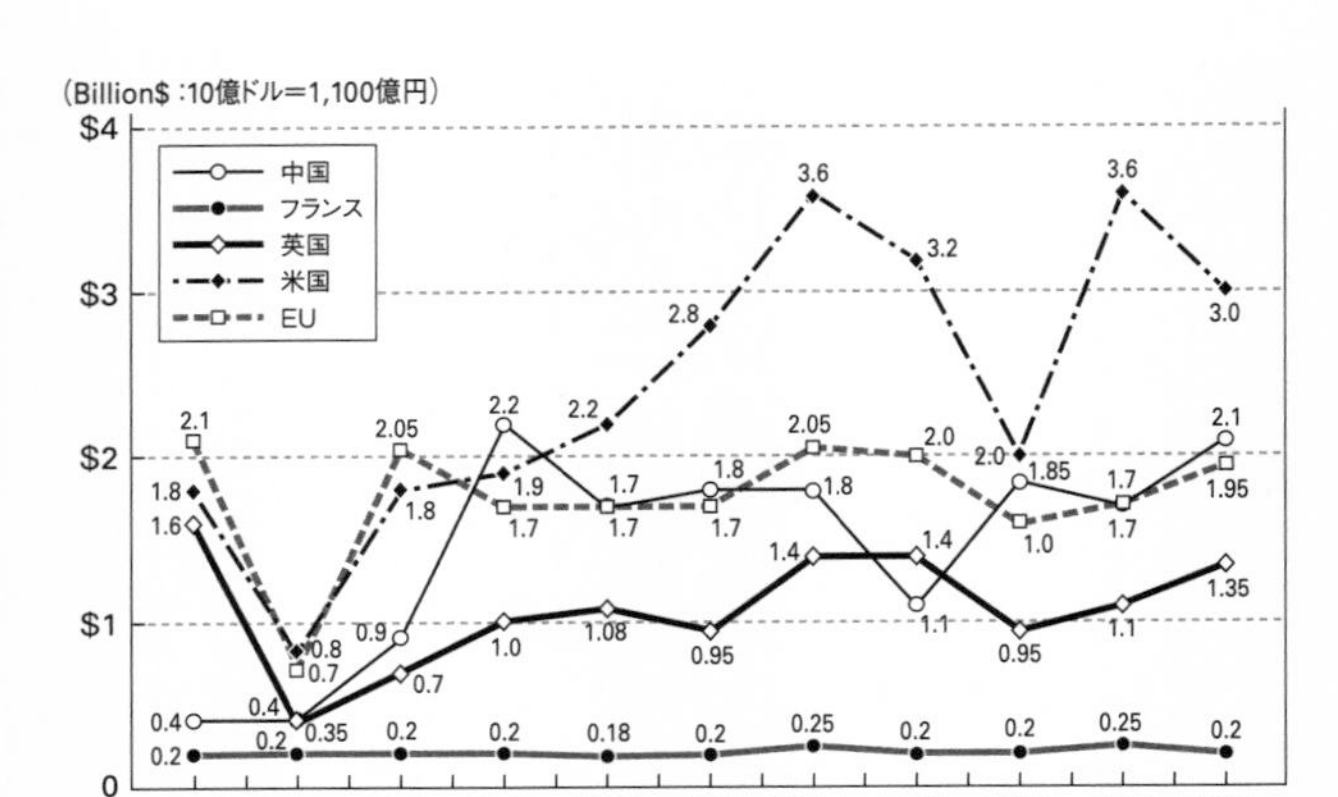

出典：© Arts Economic Billion

図26　主要国の戦後美術・現代美術部門市場推移 2008〜2018年

に、前述のピカソ作品を1億7936万ドル（約215億円）で落札したのも、第2章でご紹介したカタール王室であるといわれています。

前述のような因子が交錯した結果、2016年クリスティーズ上半期の売上は、対前年比で約30パーセント、またサザビーズは25パーセント程度減少しました。[*13] こうした世界的な傾向が米国市場に起因することは、「主要国の戦後美術・現代美術部門市場推移2008〜2018年」（図26）からも明らかです。

以上のようなファクターを追っていけば、自ずとウィズ／ポスト・コロナのアート市場が見えてきます。米国大統領選のような大きな変数も、世に富裕層が存在し、厄災をビジネスの種にする企業がある限り、アート市場は必ず復活し、従来以上の伸び幅を示すことでしょう。

コロナウイルス感染状況次第ではありますが、第46代米国大統領が決定する２０２０年11月以降には、アート市場も徐々に上昇へと転じていくものと思われます。ただし、大統領選の結果が大番狂わせ＝リベラル左派当選なら、逆に下落する可能性も大きいでしょう。経済格差是正を第一優先に掲げる同派は、富裕層に大幅な増税を迫ることが予想されているからです。

スピード回復の理由

思えばコロナウイルスが世界に広がってから、各国の株式市場は続落し続け２０２０年３月16日には、米国・ＩＮＤＵ[*14]（ダウ工業株30種平均）が前週末比２９９７ドル安の２万１８８ドルにまで急落しています（図27、96ページ）。それは、前週12日に記録した過去最大の下げ幅（２３５２ドル）をも、一瞬で塗り替える激しい勢いを有していました。米連邦準備理事会（以下、ＦＲＢ）は同月15日に１パーセントの緊急利下げを発表しましたが、投資家の

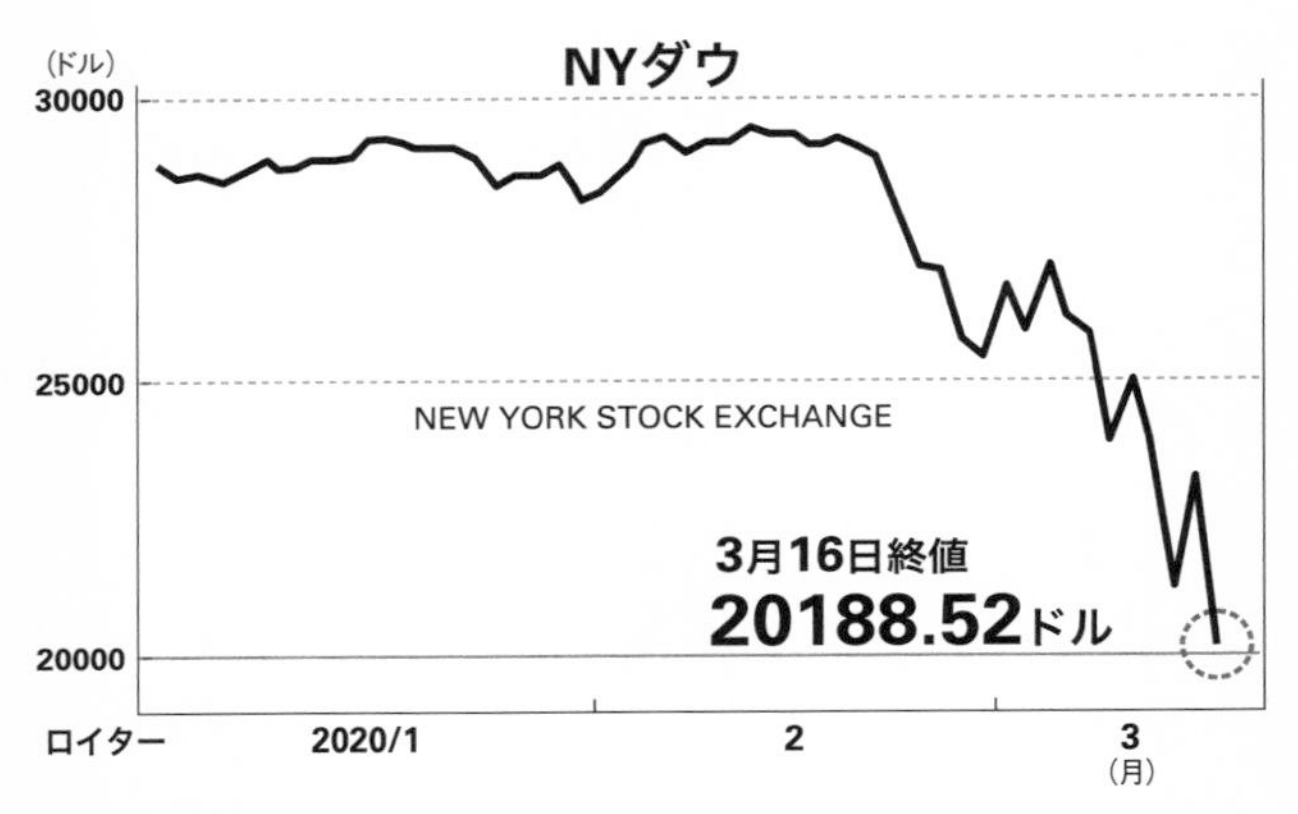

出典：日本経済新聞、2020年３月17日

図27　米国・ニューヨーク株式市場INDU指標推移（2020年１月～３月16日）

不安は収まらず、経済活動の停滞傾向は強まる一方でした。[*15]

しかし「コロナ・ショック」と呼ばれた株式市場も、６月には感染拡大前の水準にほぼ戻りつつあります。ＮＡＳＤＡＱ（以下、ナスダック）総合指数[*16]に至っては、６月８日に最高値を更新しています。この驚異的なスピード回復の理由を、「経済再開への期待」と片付けてしまっては元も子もないでしょう。

実際には、ＦＲＢによる広範な「社債購入」（他に米国債や住宅ローン担保証券等で、７０００億ドル＝約75兆円分を買い入れる方針発表）に加え、世界主要中央銀行と協調・締結した「資金スワップ契約」（外貨資金調達のため、異なる通貨の金利と元本を交換する取引）

が大きく寄与しているものと思われます。

コロナ禍に襲われる前の市場は、「社債で調達した資金による自社株購入」で株価を上げる企業が少なくなかったため、一種のプチ・バブル状態でした。それが、深刻化する経済減速状況において、米国の債券市場全般、特に信用リスクの高いCLO[*17]（ローン担保証券）破綻に対する不安を高めていたといえます（リーマン・ショックの要因であった、低所得者向け高金利住宅ローン「サブプライム・ローン」を想起させたため）。さらには、ドルの調達困難に起因する、大規模なデフォルト発生についても世界中が懸念していました。

こうした課題に対するFRBの大胆で果敢な施策の実施は、今のところ大きな成功を収めているといえます。[*18] もしも、米国株式市場の急激な下落に歯止めがかかっていなければ、アート市場への悪影響も甚大であったと思われます。

以上のように市場ごとの特性を把握しつつ、株式や原油先物といった多様な指標、あるいは大統領選挙など国家的な大イベントとの関連性を顧慮し読み解くことで、将来のアート市場を定量的な側面から予測していくことが可能となります。

3・3　二極化

第2節では、アート市場に多大な影響を及ぼす経済指標について説明しました。続いては、コロナ感染下の市場傾向が、それ以前と同様なのか、それとも異なるのかを直近の事例から明らかにしていきたいと思います。

人気アーティスト作品の高値安定化傾向

まずは、コロナ感染拡大前の状況を、確認しておきたいと思います。「アート作品販売状況の価格帯別分布（2019年）」（図28）をご覧下さい。販売価格5000ドル以下の作品が販売点数において約半数を、一方、売上的には100万ドル（約1億1000万円）を超える作品が40パーセント以上を占めている状況がわかります。つまり廉価な作品と、高い投資効果を期待できる評価の定まった作品の購入が、アート市場においてほぼ半数を占有していたわけです。

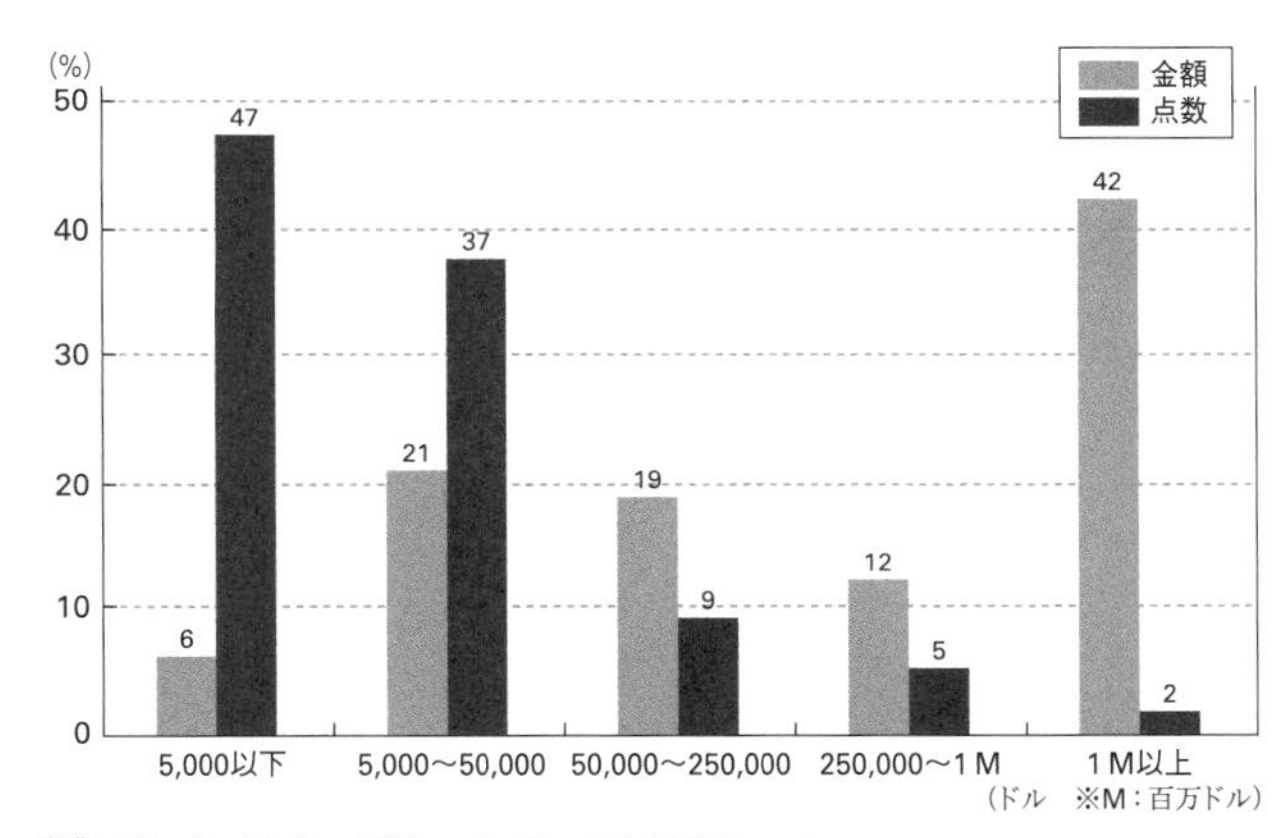

出典：The Art Market 2020, an Art Basel & UBS Report
ⒸArts Economics（2020）

図28　アート作品販売状況の価格帯別分布（2019年）

２０１９年を振り返れば、２月26日にサザビーズ・ロンドンでクロード・モネ（Claude Monet, １８４０～１９２６年）の《デュカール宮殿》（１９０８年）が２７５０万ポンド（約40億円）で[19]落札されています。続く５月14日にはニューヨーク（こちらもサザビーズ）において、同じくモネによる《積みわら》が１億１０７０万ドル（約１２２億円）を付けました。これは、印象派というカテゴリーおよびアーティストであるモネの、オークション最高落札額記録を大幅に上回るものでした。[20]

以上を踏まえながら今後の市場予想のために、まずは直近のオークションから目立った動きを探っていきたいと思います。

２０２０年４月に入り、サザビーズは全従

業員のおよそ12パーセントにあたる２００人を一時帰休（あるいは自宅待機）とし、オークションの会場をリアルからネット環境へと変更しました。このような状況下、アンディ・ウォーホル（Andy Warhol, １９２８～１９８７年）やダミアン・ハースト（Damien Hirst, １９６５年～）らを擁したオンライン・セール「Contemporary Curated（キュレーション視点の現代アート）」（２０２０年４月14日～21日）が、その第一弾として開催されています。

結果的にセール全体で、６４０万ドル（約7億４００万円）以上の売上を達成するとともに、ここ数年来安定して人気が高かったアーティストの代表ともいえるジョージ・コンド[*21]（George Condo, １９５７年～）による《Antipodal Reunion（対蹠的な再会）》（２００５年）は、同社主催のオンライン・オークション史上最高額となる１３０万ドル（約１億４３００万円）で落札されました。

その他にも、およそ30万ドル（約３３００万円）で落札された草間彌生（１９２９年～）の《スター》（１９９３年、26×53センチサイズの小品）や、意外なところではイラン出身のモニール・ファーマンファーマイアン[*22]（Monir Farmanfarmaian, １９２４～２０１９年）の鏡を使った幾何学モザイク状の大型作品が47万ドルを超えるなど、全世界的な経済減速傾向の中でも、高値安定作品が値崩れすることはありませんでした。

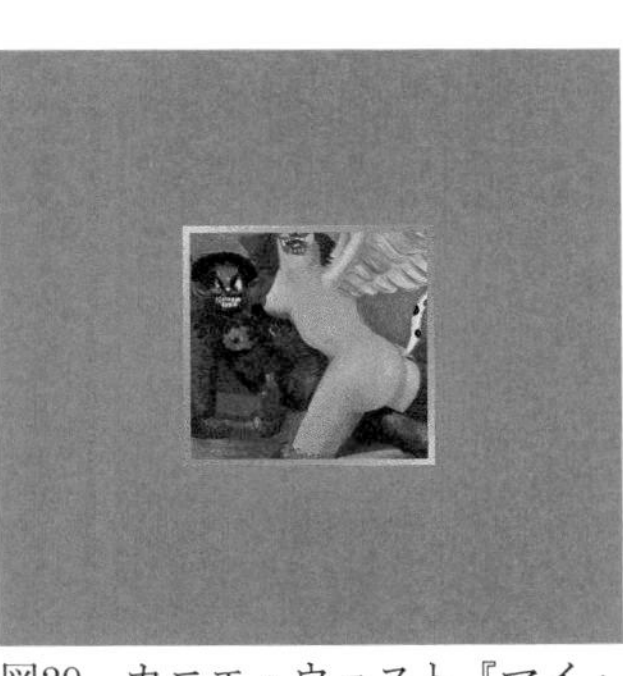

図29　カニエ・ウェスト『マイ・ビューティフル・ダーク・ツイステッド・ファンタジー』2010年
Ⓒユニバーサル ミュージック

コンドは、カリスマ的人気を誇るラッパーであるカニエ・ウェスト[*23]（Kanye West, １９７７年〜）による強い希望で、『マイ・ビューティフル・ダーク・ツイステッド・ファンタジー』（２０１０年）のアルバム・ジャケット（図29）を手がけています。ちなみに、そのウェストは２０２０年大統領選挙出馬をツイッターで表明。それから、わずか１日足らずで１１５万もの〝いいね〟を獲得しています。彼が本気で政界進出を考えているなら、秋の選挙はますます混戦を極めそうです。

ちなみにサザビーズは２０１９年には１２８回のオンライン・オークションを実施していますが、それらの売上総額は８０００万ドル（約88億円）に上り、対前年比55パーセント増を達成しました。しかし一方で、同年のリアルな競売は48億ドル（約５２８０億円）を記録、オンラインのおよそ60倍に相当する規模でした。

さらに、回復基調の中国市場を意識した同社は、コロナ禍で遅れていた香港スプリング・

オークションを2020年7月5日～11日に実施しています。そこではダミアン・ハーストや草間彌生ら、人気アーティストによる100万ドル（約1億1000万円）以下の作品を中心にラインナップが組まれていました。

中でも高額落札が期待されていたのは、デイヴィッド・ホックニー（David Hockney, 1937年～）による《30 Sunflowers（30本のひまわり）》（1996年）と、劉野[*24]（Liu Ye, 1964年～）の《譲我留在黒暗裡（暗闇へ置き去りにして）》（2008年）でした。2020年7月9日に行われた売り立てでは、結果的に前者が1億1482万7000香港ドル（約15億8500万円）、後者は4534万8000香港ドル（約6億2580億円）と、期待に違わぬ高額で落札されています。

こうした傾向はサザビーズ香港だけではなく、全世界的であるといっても過言ではありません。2020年4月29日に開催されたソウル・オークション（韓国）では、22×27・3センチメートルの草間彌生（1929年～）《南瓜（赤）》（2005年）が4億ウォン（約3520万円）で落札されています。さらに同年6月20日のSBIアート・オークション（日本）でも、やや大きめ（24・2×33・3センチメートル）の《かぼちゃ（赤）》（1995年）と《南瓜（黄色）》が、それぞれ3680万円と4140万円をつけていました。

これまでも様々なオークションに、類似作が多数出品されてきましたが、つい2～3年前までの価格は2000万～2500万円程度でした。人気作品は、たとえコロナ禍であっても順調に値上がりし続けているようです。

活発に取引される、趣味性の高い廉価な作品

さて、コロナ感染拡大に伴って高額な人気銘柄と共に、活発な動きを見せているのが趣味性の高い廉価な作品です。これまでもカウズ*[25]（Kaws, 1974年～）のフィギュアや、ストリート・アート系のマルティプル作品*[26]などは盛んに取引されてきました。

そんな中、サザビーズ香港がオンラインによるポップアップ・オークション*[27]「Contemporary Showcase: Manga（漫画）」（会期：2020年4月29日～5月8日）を開催したことが大きな話題を呼びました。それは、全60作品の内ミッキーマウスを除いた59点が、『鉄腕アトム』や『ドラえもん』から『ポケモン』そして『ドラゴンボール』まで、文字通り日本の〝漫画〟やアニメーションのセル画*[28]だったからです。しかも、不落札がわずかに数点のみという好成績は、関係者を大いに驚かせました。

中でも、『聖闘士星矢：Knights of the Zodiac』[*29]のオープニング・シーン（セル画）は、落札予想価格5万〜7万香港ドル（約70万〜100万円）に対して、37万5000香港ドル（約525万円）という最高額で落札されています。それに次いで、『となりのトトロ』や『ONE PIECE』の主人公であるモンキー・D・ルフィを描いたセル画も、27万5000香港ドル（385万円）と予想外の高値を記録していました。こうしたオークション結果は、秋葉原や神保町、中野に点在する漫画・アニメ専門古書店の店頭価格にも、大きな影響を与えています。

この「Contemporary Showcase」はその後もシリーズ化され、人気アーティストの版画やマルティプル作品、新進アーティストの小型作品など1万ドル（約110万円）以下の価格帯を中心にプログラムが組まれています。

このような動きからは、エントリー層へのリーチや、潜在顧客の掘り起こしといった本来の目的だけではなく、減速する経済状況の中、たとえ薄利多売であったとしてもビジネスを継続し続けるという同社の強い意志を感じさせました。また、前出SBIオークションでも、従前のリアル＋オンラインからスタイルを変更。価格を抑えたエディション作品や小品を中心に編成した、動画配信型の新しいオークション「LIVE STREAM」を2020年8月1

日に実施しています。

もう一点、特徴的な動きを挙げておきたいと思います。さすがに欧米では慎重ですが、日本や香港を中心とするアジア地域では、いわゆる周到に考えられたマーケティング戦略を基に売り出されたアーティスト（と呼んでいいかどうかは、わかりませんが）の作品が高騰化しています。しかもコロナ禍において、むしろその傾向は強まりつつあります。単なるトレンドに迎合しただけの作品は、長い目で見れば、いずれ評価されなくなるばかりか、結局は美術館での展示や収蔵とは無縁の〝なんちゃって現代風アート〟として消えてしまうことでしょう。しかし、長引く経済停滞下では、収益の急回復を求めるオークションハウスと、即効性を備えた投資先を探す人々との利害が一致。こうした動きを促しているものと思われます（91ページで触れた〝同時代の〟アート作品に関する具体例は、終章で詳しくご紹介しています）。

以上のようにコロナ感染拡大後のアート市場では、評価の定まった高額作品と、趣味性の高い廉価な作品あるいは、美術史および美学的価値よりも投資効率を重視した作品に（落札・投資が）集中する二極化傾向を示しています。

次節では、オークション開催地であるロンドン、ニューヨーク、そして香港という市場動向の鍵を握る地域の状況を通じて、ウィズ／ポスト・コロナのアート界について予想してい

図30　台北・亞紀畫廊での「特別展出 宮崎駿賽璐璐收藏」展示風景
Courtesy of EACH MODERN, Taipei

きます。

追記
台北と台中にスペースを構え、森山大道などを扱う注目のギャラリー亞紀畫廊（EACH MODERN）は、こうした市場動向に素早く反応、台北で「特別展出 宮崎駿賽璐璐收藏（宮崎駿セル画コレクション）」（会期：２０２０年7月31日～８月29日）を開催しています（図30）。作品販売価格帯は、最も廉価なもので20万ＮＴＤ（約78万円）から最高額で90万ＮＴＤ（約３３０万円）と、サザビーズ香港のオンライン・オークション落札額を踏襲したプライシングでした。

３・４　地政学的変動

本節ではコロナ感染拡大の影響や、「ＢＲＥＸＩＴ」（以下、ブレグジット）と呼ばれる英国の欧州連合（以下、ＥＵ）離脱、および激化する米中貿易戦争といったファクターから、メジャー・オークションの開催地でありアート市場をリードするロンドン、ニューヨークそして香港の今後を占っていきたいと思います。

ロンドン――ブレグジットがもたらすもの

２０１６年６月23日に行われた国民投票の結果、英国では51・９パーセントの投票者がＥＵから離れることを選択。その後３度の延期を経て、遂に２０２０年１月31日午後11時（グリニッジ標準時間）に離脱を果たしました。しかし、離脱協定により２０２０年12月31日までは、移行期間として（英国は）ＥＵ加盟国とみなされ、域内の法律が適用されます。したがって、両者（ＥＵと英国）は移行期間内に通商やエネルギー、そして安全保障など、多岐にわたる協定を締結してしまわなければなりません。

ＥＵとの間で何らの取り決めもないまま英国が（ＥＵを）離れることを、「ハード・ブレグジット」または「ノーディール・ブレグジット（合意なき離脱）」と呼ぶのに対し、「ソフト・ブレグジット」は欧州単一市場[30]への加盟を維持しつつ、欧州経済領域（ＥＥＡ）[31]内のルールに従って人々の自由な行き来を認めながら離脱する状態を指します。

双方とも、コロナ感染対策に追われる中で、年内の合意を目指して、現在激しい鍔迫り合いを繰り広げています。特に英国に属する北アイルランドと、ＥＵ加盟国であるアイルランド間の国境に関する取り決めは最大の懸案事項となっています。

英国（この場合にはイングランド、ウェールズ、スコットランド）から北アイルランドに入る製品に対し、ＥＵ基準に適合しているか否かの諸検査を実施する場合、連合王国全体の一体性を損なう恐れがあり、ややもすると「ベルファスト合意」[32]すら危うくしかねません。その一方で、検問所（税関検査）などで相応の対策を設けなければ、英国製品が北アイルランドを経由し、欧州単一市場に流れ込んでいくことも懸念されます。[33]

ハードか？　ソフトか？　ブレグジットの行方によっても異なってきますが、ＥＵ離脱後の英国経済とアート市場の情勢は、果たしてどのように変化していくのでしょうか。

ロンドンは、この後詳述するニューヨークや香港と並び、世界三大金融センターの一角を成しています。いわゆるシティ（ロンバード・ストリート一帯）に集中している銀行や手形割引業者など、各種企業、機関が、イングランド銀行（英国の中央銀行）を頂点とし、相互に密接な連携を保ちながら展開・発展することにより独自の金融市場を形づくっています。こうしたビジネス・スタイルは長年の間、各国市場の手本とされてきました。

一例を挙げれば、同地のクリアリングハウス[*34]はリスク仲裁機能において、他国には決して真似できないノウハウや経験の蓄積を有しています。また、いかなるリスクに直面しようとも、ロンドンであればその（リスク）引受先や、状況に合わせて適切な処置を行えるパートナー企業を見つけることも比較的容易です。[*35]

パリに本部を置く欧州証券市場監督機構（ＥＳＭＡ）は、ハード・ブレグジットの場合でも、ＥＵに加盟する27ケ国に及ぶデリバティブ（金融派生商品）・トレーダーが、ロンドンのクリアリングハウスを継続して利用可能であることを、離脱前の２０１９年2月18日に決定・発表しています。[*36]このことは、ＥＵ各国の金融市場には優秀で経験豊富な金融取引業者が多数存在するものの、リスク仲裁機関に限ってはロンドン以外で見つけることが困難であるとの認識を端的に示しています。

またEU域内では、金融サービスにおける「単一パスポート制度」[*37]が存在していますが、大半の英国金融機関はパスポート失効を前提に、加盟国における免許をすでに取得済みです。さらには英国のみならず、フランクフルト（ドイツ）やアムステルダム（オランダ）、ダブリン（アイルランド）などの都市を欧州大陸側拠点、あるいは移転先候補地として確保、〝その時〟に向け着々と準備をしています。

なお、12・5パーセントという法人税率の低さに加え、EU唯一の英語圏である点、さらにはロンドンから飛行機でわずか1時間といった地理的優位性から、欧州金融センターの地位はロンドンからダブリンへ移るという噂がまことしやかに囁かれていた時期もありました。しかし、たとえ離脱がハードであれソフトであれ、当面ロンドンの優位性が揺らがないことは、前述した様々な理由から考えてもあり得ません。

10億どころか100億円単位の金額が動くアート作品の取引においても、同地が有する金融リスク仲裁機能は欠くことができない存在だからです。ブレグジット後も、そしてウィズ／ポスト・コロナ下においても、ロンドンが有するアート市場としての地位はしばらくは盤石といっても過言ではないでしょう。

ニューヨーク――「次の一手」が市場を左右する

米国のトランプ大統領は、コロナウイルス感染拡大という非常事態に際し、国民の健康や安全より経済活動の継続を優先しているように見えます。２０２０年11月選挙での再選を至上命題とする彼にとっては、むべなるかなとも思われます。

したがって、中国ではすでに感染爆発が起こっていた２０２０年２月以降も、「春までには騒ぎは収まっている。４月にはウイルスは消滅している」（２０２０年２月10日）や「死亡リスクもインフルエンザより少ない」（同２月26日）、「コロナウイルスは消滅しつつある。ある日、ミラクルのように消えていく」（同２月28日）などと〃フェイク〃な発言を連発し、さらなる事態の悪化を招いてきました。

経済重視、人命軽視の姿勢は、「ウイルス感染で多くの人が死亡するかもしれないが、わが国を（ロックダウンにより）大規模不況に追い込んだ場合、それ以上の命が奪われることになる。来るべきイースター復活祭（４月12日）は自分にとってとても大切な日であり、それまでに外出禁止措置をやめ、経済活動を再開させたい」（同３月24日）という一言にも強く表れています。[*38]

このようにコロナウイルスを甘く見た結果、米国は225万人を超える感染者を出しています（2020年6月22日現在。追記：前月より2万6079人増加し、7月11日の累計感染者は235万6657人となっています）。

第1節でも触れたように、次の第46代大統領が富裕層や大企業に対してどのような政策構想を有しているかによって、米国アート市場＝ニューヨークの地位は大きく左右されます。すでに民主党候補は、所得の再分配や社会保障充実を重視したリベラル色の強い考え方を打ち出しています。また、サンダース上院議員に至っては、3200万ドル（約35億円）以上の資産を有する富裕層に対し、金額に応じて一定割合の税率を課す「富裕税」を計画しているようです。

加えて、ロックダウンによる外出禁止や経済減速による〝買い控え〟から、米国では老舗高級百貨店バーニーズ・ニューヨークが全店舗を閉鎖（2020年2月22日）し、衣料品大手のブルックス・ブラザーズが経営破綻に追い込まれています（同7月8日）。

こうしたニュースは、コロナ禍における米国中間所得者層の消費減速を如実に表しており、アート市場でも数万ドル（数百万円）の価格帯にある作品にとっては、さらに厳しい状況が続くものと思われます。

　そして、もう一点忘れてはならないのが、米中貿易戦争に伴う「外国企業説明責任法」の存在です。２０２０年５月20日、米国上院で可決された同法案は、米国に上場する外国企業に対して経営の透明性を求めたもので、米規制当局による会計監査状況検査を３年連続で拒否した場合には、上場廃止を迫る非常に厳しい内容となっています。[*39]

　ほぼ同時にナスダックも、新規上場基準の厳格化に乗り出しました。新規株式公開（以下、ＩＰＯ）で投資家から集める資金について、最低でも２５００万ドル（約27億５０００万円）か、時価総額の25パーセント相当を調達するよう義務づけています。２０２０年５月19日、米証券取引委員会（ＳＥＣ）に提出した新基準案には、さらなる監査体制の厳格化も盛り込まれています。こうした厳格化は事実上、中国企業の上場を制限する狙いが強いと考えられています。[*40]

　ナスダック並びにニューヨーク証券取引所、および同傘下のアメリカン証券取引所に上場している中国企業は、今や１５０社以上を数えます。その中には、電子商取引の阿里巴巴集団（アリババグループ）や京東商城（ジンドン）、インターネット検索の百度（バイドゥ）といった中国を代表する大企業が含まれており、３社の時価総額合計は軽く５０００億ドルを超えています。いざ上場廃止ともなれば、米国のみならず、世界中の金融市場は大混乱に陥るでしょう。[41]

また、上場する中国企業の新規株式引き受けを担当したり、デューデリジェンス（資産査定）を行ったりすることで、これまでウォール街の金融機関は莫大な手数料を手にしてきました。その額は２０１５〜２０１９年のわずか４年間で、14億ドル（約１５５０億円）超ともいわれています。[42] 加えて成長著しい中国企業は、世界第３位の規模を誇る米国連邦退職年金基金から個人投資家に至るまで、多額のリターンを供給し続けてきました。それも、今後は非常に難しいと思われます（同基金の中国企業株式投資阻止に関する、大統領令も検討されています）。[43] このように対中強硬姿勢は、米国経済にもブーメランとなって襲いかかってくることは間違いありません。

さらにこうした状況が続けば、ロンドンのみならず、香港証券取引所や科創板[44]（スター・マーケット）へと優良な中国企業が流れてしまい、結果、敵に塩を送ることにもなりかねません。いかに米中貿易戦争といえども、どちらかが倒れるまで闘い続けることはないでしょう。

しかし、コロナ禍や対中関係悪化などの悪材料や大統領選挙といった変数も、ニューヨークの地位を脅かすほどのパワーはないでしょう。なぜなら国際金融センターとしての順位

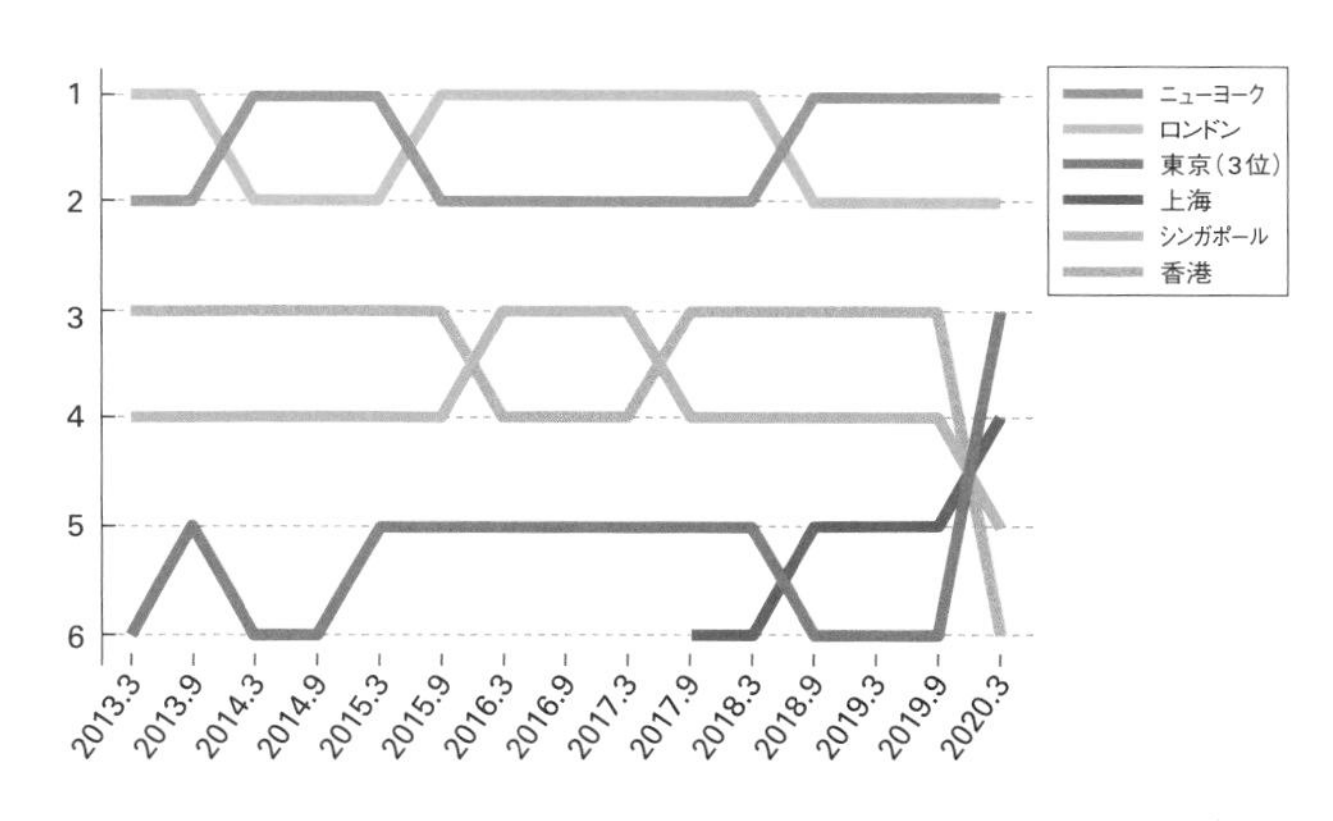

出典：東京都戦略政策情報推進本部・発表資料（2020年03月27日）
Z/Yenグループによる国際金融センター・インデックス（GFCI）より引用

図31　国際金融センター都市ランキング

（図31）を見れば、ニューヨークとロンドンの優位性が簡単には揺らがないことをご理解いただけるからです。優れた金融センターとしての条件は、①世界共通言語である英語によるコミュニケーションや書類作成能力が高く、かかるコストも低廉である点、②投資家の権利行使や私的財産権保護などを保障した法制度、③国策としての金融センター振興に対する真摯な姿勢、④イノベーティブでオープンな都市の気風などです。

さらに、世界の主要都市が有する総合力を、経済、研究・開発、文化・交流、居住、環境、交通・アクセスの6分野で複眼的に評価した、森記念財団・都市戦略研究所が発表する「世界の都市総合力ランキング」（Global Power

City Index）でも、2010年の調査開始以来、首位はニューヨークとロンドンの2都市間で争われ続けています。[45]

そして、何よりも米国そしてニューヨークがアート市場、そして金融センターのトップとして不動である理由は、世界最強の基軸通貨である米ドルの存在です（世界三大通貨は、米ドル、ユーロ、日本円であり、ポンドとスイス・フランがそれに続きます）。

したがって、《サルバドール・ムンディ》や《アルジェの女たち》、《ルシアン・フロイドの三習作》[46]（1969年）といった時々の世界最高額アート作品が、新しいオーナーをニューヨークで探し出したように、世のあらゆる新興企業も資金調達のため同地へと集い続けているのです。

追記

米国財務省はコロナ禍への経済対策により、2020年6月の財政収支における赤字額が対前年同月の約100倍にあたる8640億7400万ドル（約92兆6000億円）であったと発表。単月赤字額としては過去最大を更新しました。[47]

２０２０年8月18日、ジョー・バイデン前副大統領（Joseph Robinette Biden, Jr., １９４２年〜）は、米国大統領選挙の民主党候補に正式指名されました。その結果、バーニー・サンダース上院議員（Bernard "Bernie" Sanders, １９４１年〜）による左派寄りの案（１１２ページ参照）を含んだ政策合意の必要性に迫られています。また、同候補は「中国との完全なデカップリング（分断）は非現実的で、結果的に非生産的」と述べています。[*48] したがって、彼が大統領となった場合には、米国の富裕層のみならず、中国（大陸）や香港のアート市場にも少なからず影響を与えるものと予想しています。

香港――「金の卵」のままでいられるか

欧米諸国を中心に懸念、反対が高まる中、２０２０年6月30日「国家安全法」が香港で公布されました。１９９７年に英国から中国へと返還された後も、本来であれば（返還から50年間は、英国式コモン・ロー[*49]に基づく「高度な自治」を認められ、社会主義体制の大陸との「一国二制度」が共存・保障されていたはずでした。ところが同法の施行により、言論の自由や政府に対する抗議行動などは弾圧され、出版やインターネットなどによる言論に対しても規制が強まっていくものと思われます。

すでに「民主化運動の女神」として知られる活動家の周庭（Agnes Chow Ting, １９９６年〜）らに対する公判が、２０２０年７月６日に開かれています。２０１９年６月に香港警察本部前で違法集会を扇動したことが起訴理由であると発表されています。[*50] 同法施行以後の彼女らに対する判決内容が、非常に危惧されるところです。

さて、一方的に形骸化されつつある同地の「一国二制度」ですが、そもそものような背景で成立したのか、振り返って検証してみたいと思います。

当初は中国の改革開放をサポートし、国際社会への参画を促すというエンゲージメント政策[*51]が米国の側にもあり、それがＷＴＯ（世界貿易機関）など国際組織への（中国とは別に）単独加盟や、ペッグ制[*52]による香港ドルの地位向上に大きく貢献していました。中国側は香港で経済成長に必要な外貨を調達し、一方の西側諸国も香港を橋頭堡として、巨大な中国市場でビジネスを展開するというWin-Winの関係を構築していたのです。

ところが２０１２年に習近平主席は、かつて欧州やアフリカ大陸の一部までをも版図に収めた同国領土を「一帯一路」で復興し、再び世界の中心（中華）に返り咲く「中国の夢」を掲げ始めます。以降は香港、そして台湾に対する姿勢を強め、スプラトリー諸島（中国名：

南沙諸島）や尖閣諸島への領土的な野心を剥き出しにしています。
米国ではトランプ大統領が制裁案を明らかにしており、マイク・ポンペオ国務長官（Michael Richard Pompeo, 1963年〜）は2020年5月29日、香港に対する優遇措置[*53]を取り消す考えを明らかにしました。また、同地の自治侵害に関係した中国関係者に対し、資産凍結などの制裁を科すよう求めた「香港自治法案」が、同国上院において全会一致で可決されています。[*54]
こうした香港の自治を巡る米国、そして旧宗主国である英国との対立や、それに伴う優遇措置撤廃並びに各種制裁の発動は、アジアの金融センターである同地の経済的優位性を揺るがしかねません。もちろんこうした事態は、アート市場にも大きなダメージを与えることになるでしょう。中国全体に占める香港のGDPは1997年の16パーセントから、2018年には3パーセントにまで低下しています。しかし、IPOの金額や件数では、今もって上海および深圳（シンセン）証券取引所を擁する本土に引けを取りません。したがって、中国にとって香港は、まだまだ金の卵を産む雌鶏であり続けているのです。
また、中国の美術品輸入関税は、世界標準に比べればかなり高額です。輸入関税は12パーセントから徐々に削減され、2016年には一時的に3パーセントにまで引き下げられています。しかし、関税とは別に、17パーセントの付加価値税が課税されます[*55]（合計で20パーセント）。こうした法令に鑑み、中国の富裕層は購入した高額アート作品を国内（中国本土）には持ち込まず、香港やシンガポールの倉庫に預けていました。しかし、今後はアート作品のみならず、香港内のあらゆる金融資産に関する情報は、中国政府へ筒抜けになっていると考えた方が自然でしょう。

こうした混沌とした状況の中、２０２０年7月6日短編動画投稿アプリ「ティックトック（TikTok）」は、数日以内に香港市場から退くことを発表しました。国家安全法の施行を理由とする撤退であると見られています。同法への対応を巡っては、フェイスブック、グーグル、ツイッターをはじめ、大手ネットおよびＳＮＳ企業各社が香港当局の要請に基づく利用者データ提供を拒否しています。

また、それに先立つ6月29日には、インド政府が国家安全保障上の問題を理由に、ティックトックを含む59本の中国製アプリを同国内で全面使用禁止にしています。同月15日に勃発したカシミール地方における両国軍事衝突に、強い危機感を抱いての発動と思われます。

ちなみに同アプリを運営しているのは、米国・ウォルト・ディズニー社の幹部であったケビン・メイヤー（Kevin Mayer, １９９２年～）が最高経営責任者（２０２０年8月26日に辞任を表明）を務める、異色の中国企業である北京字節跳動科技（以下、バイトダンス）です。結果的に、全ダウンロード数の約30パーセントを占めるインドでの使用禁止措置は、およそ60億ドル（約６４５０億円）を超える損失を同社にもたらすと予想されています。*56

今後、こうした動きは確実に加速すると考えられており、外資系バンカーやファンド・マネージャーを始めとする優秀な人材の流失も懸念されています。中国への返還を控えた１９９０〜１９９４年には、自由を求め約30万人が香港から脱出したといわれています。富裕層の多くが国（域）外へ逃れれば、ペダー・ビルディングやＨクィーンズといった一等地に、次々と支店を開設したガゴシアン・ギャラリーやデイヴィッド・ツヴィルナー、ハウザー＆ワースといった欧米のメガ・ギャラリーも、その進退について考えざるを得ないでしょう。

米国との貿易戦争やインドとの国境紛争、コロナウイルス発生源調査に端を発するオーストラリアとの食肉輸入摩擦など、中国が様々な国や地域との間で対立を深める中、国家安全法施行後の香港がアジアにおけるアートの中心地であり続けることは、少々難しいといえます。また、同じく文化集積地としての存在感を高めつつあった、上海に対する影響も決して小さくはないと考えます。

他方、自由を失うことと引き換えに香港株式市場に上場する中国企業は増え続け、本土からの資金流入も拡大。世界第2位の経済大国との連携が一層強化されることを歓迎する市場関係者も少なからずいます。「中国企業が香港で上場を続ける限り、パーティーは続く。（中略）金融業界は『民主主義』の闘志たち（ママ）とは、別のパラレルワールドに住んでいる」と嘯く金融マンの一言を、最後に記しておきたいと思います。*57

本節ではメジャー・オークションの開催地でもあるロンドン、ニューヨーク、そして香港におけるコロナ禍収束後の情勢について、様々な角度から予想してきました。ニューヨークとロンドンの地位が揺るぎない一方で、香港に関しては、国家安全法の施行や中国の対外政策に加え、米中貿易戦争によって他の2都市に比べ先行きは厳しいものと想定されます。

事実、前述の「世界の都市総合力ランキング」では、シンガポールやアムステルダムの後塵を拝して9位に留まり、激しい民主化運動の影響か「国際金融センター都市ランキング」においても、ここ半年間で3位から6位へと急落しています。

しかしながら、同地を含め短期的には3都市の代替候補地は現れそうにありません。なぜなら第6節でも触れますが、アート市場としてのシンガポールが有するポテンシャルは若干厳しいといえるからです。加えて、早急な香港からの撤退は、巨大な中国市場から締め出されるというしっぺ返しを覚悟しなければなりません。
他方、「台北當代」を成功させ、独自のリベラルなスタンスで中国との距離を測る台湾は、将来的に香港を脅かす潜在的可能性を秘めているといえるでしょう。

追記
コロナ禍により、出身地・台湾に戻っていた香港勤務のギャラリー・アシスタントは、国家安全法の施行を機に退職を決めています。また、（中国）大陸出身のスタッフは、富裕な顧客の同地離脱を非常に憂慮しています。そして、「ウィーチャット（微信）」（テンセント[*58]が運営するSNSアプリ）で、中国に対する批判的メッセージを過去にやり取りした台湾人や華僑・華人のアート関係者は、次回のアート・バーゼル香港出展や訪問の見直しを真剣に検討しているようです。
また、２０２０年7月28日自民党の「ルール形成戦略議員連盟」は、ティックトックを念頭に置いた中国製アプリの利用制限を政府に提言する方針を固めました。電気通信事業法などに「安全保障上のリスクを考慮する」条項や、情報漏洩の恐れがあるアプリを調査するインテリジェンス機能強化についても盛り込む構えです。

3・5　新技術がアート界を変える

さて、コロナ感染拡大下では評価が定まった高額作品とともに、趣味性の高い廉価な作品の購買が増加傾向にあることはすでに述べました。そこで重要な鍵を握るのは、利便性が高く、為替手数料の低い支払い決済サービスの存在です。

本節では、価格帯を問わず、あらゆる作品の取引拡大や、多様なサービス実現を牽引する新しい技術について述べていきたいと思います。

オンライン決済普及がもたらすもの

元々割高な手数料から、クレジットカードが利用できないギャラリーは、従前より少なくありませんでした。海外のギャラリーやアートフェアにおける作品購入でも、支払いが決済・送金手段の関係から帰国後となることが多く、ハンド・キャリー可能な作品をその場で持ち帰れずに、結局、別途送料まで発生させてしまうケースも珍しくありませんでした。

最近ではPayPal（ペイパル）のような、インターネットを利用したオンライン決済システムの普及に伴い、少しずつではありますが支払いの利便性も高まってきています。また、日本でもポイント還元キャンペーンで登録者数を増やしたPayPay（ペイペイ）のような「モバイルＱＲコード決済サービス」が、ここのところ急速に広まりつつあります。

一方、中国では屋台の飲食店ですら、現金よりも同決済サービス利用が歓迎されるくらいに普及しています。代表的なサービスとして、アリババグループが運営する世界最大の第三者決済[*59]である支付宝（以下、アリペイ）や、微信支付（以下、ウィーチャットペイ）を挙げておきたいと思います。いずれのサービスも、アジアだけで利用者数はすでに10億人を超えています。今ではＥＵにおけるＶＡＴ（付加価値税）還元＝空港などでの免税還付は、現金かクレジットカード、あるいはアリペイから選択できるようになっています。

こうした流れは韓国やオーストラリアにも広がっていますが、今後は米中貿易戦争や安全保障上の（情報漏洩）理由から、西側諸国における導入にブレーキがかかる可能性もゼロではないでしょう。

いずれにしても、すでにアリペイやウィーチャットペイの加盟店となっているギャラリーも、中国を中心に少なからず現れ始めています。今後はモバイルＱＲコード決済サービスのさらなる普及に伴い、廉価な作品市場はますます活発化し、エントリー層の裾野拡大にも大きく貢献していくことだけは間違いないと思われます。

ブロックチェーンによる取引の活性化

ブロックチェーンとは本来、仮想通貨を支える技術であり、「ブロック」とは一定数のトランザクション（取引履歴データ）を格納したものを指します。そして新たに生成されたブロックや、それに続くブロックに取引記録が取り込まれることを承認と呼んでいます。こうしたブロックが次々と追加され、まるで鎖のように連なることから、同技術は「ブロックチェーン（分散型台帳技術）」と呼ばれています。

この技術が有する独自優位性として、①特定組織の中央管理を不要とする民主的な「分散型ネットワーク」である点、②取引情報の公開・可視化による安全性、そして、③強固な耐改竄性（取引記録の「不可逆性」担保）の3つを挙げることができます。

暗号化されたデータは不可逆性が高く特定が極めて困難なことから、意図的に改竄すれば累積された後続データとの整合性が取れなくなります。こうした機能を活用した、各種契約書や証書の証明機能に関する実証実験はすでに数多く行われています。

同様に作品証明書や鑑定書の作成と、所有者の変更に伴う権利並びに証明書の移転も、ブロックチェーンを用いれば、スムーズかつ簡便に行うことが可能です。また、作品価値に直結する来歴や、展覧会出品履歴の管理・証明と閲覧・情報共有にも大きく貢献するものと考えられています。

加えてブロックチェーンが導入されれば、外貨両替・海外送金サービスに係る高額な手数料に関する飛躍的な改善も期待できます。さらには、SNSを通じての作品画像確認や購入交渉推進といったスピーディーなコミュニケーションとの相乗効果により、幅広い作品を対象としたグローバルな取引が活性化していくことも明らかです。

また、同技術を利用した契約自動執行プログラム「スマートコントラクト」は、第三者を介することなく、あらかじめ定義されたコード通りに処理を行うため、高い透明性と低コストの両立が容易です。このプログラムを導入することで、例えば映像作品の鑑賞とそれに伴うスムーズな閲覧料金課金・徴収、さらには権利保有者に対するレベニュー・シェアまでも簡単に処理できます。

コレクターや財団、美術館にとって所蔵作品が多少なりとも利益を生めば、高騰する作品保管コスト軽減の一助となるでしょう。また、コマーシャル・ギャラリーにとっては、在庫作品のキャッシュ・コンバージョン・サイクル[*60]を利用した、新たなビジネスモデル創出も夢ではありません。あるいはシェアリング・サービスにおける同技術導入は、これまで破綻するケースが大半であった美術作品の共同保有（いわゆる競走馬における、共有馬主あるいはクラブ法人＝一口馬主）および投資ファンドなどに対し、その成功確率を格段に高める可能性を有していると考えられます。

ただし、こうしたサービスの実現・実用化においては、いかにブロックチェーンが強い耐改竄性を備えていたとしても、リアルな作品そのものや、紙製証明書をバーチャルなブロックチェーン上に記録・登録する段階で、改竄や偽造、転記ミスが発生するリスクについて認識しておくべきでしょう。スマートコントラクトとは異なり、人的作業における性善説や正確性担保といった課題は、簡単に解決できそうにないからです。

以上のようにモバイルQRコード決済サービス並びにブロックチェーンという新しい技術は、グローバル・レベルでの幅広い作品売買促進や多様なサービス展開によって、ウィズ／ポスト・コロナのビジネス・スキームのみならず、美術界全体をも変えていくことになるでしょう。

3・6　ポスト・アートフェア

存続の危機と新たな取り組み

第2章の第4節でも、コロナ禍で続々と中止に追い込まれているアートフェアの現状をご紹介しました。世界最高峰のフェアであるアート・バーゼルから、ローカルなブティック・フェアまで世界中のフェアは、この破壊的なパンデミックの影響でかつてない存続の危機に直面しています。世界第5位の展示会企画・運営企業であり、傘下にアート・バーゼルを擁するMCHグループは、香港、バーゼル、マイアミ・ビーチ（米国）の3箇所で開催されるアートフェアと並び、毎年3～4月に開かれる世界最大の時計・宝飾品の新作見本市「バーゼル・ワールド」によってその名を知られています。同見本市は、当初2020年4月30日～5月5日の開催を予定していましたが、コロナ感染拡大により2021年1月28日～2月2日への延期を発表しました。

ところがこの決定に対して、主な出展者であるロレックス、パテック フィリップ、シャ

フェア名	創立年	2019 来場者数(人)	2018 来場者数(人)	2019-2019 増減
ARCO Madrid	1982	103,000	100,000	3%
The Armory Show	1994	57,000	65,000	−12%
Art Basel	1970	93,000	92,000	1%
Art Basel Hong Kong	2013	88,000	80,100	10%
Art Basel Miami Beach	2002	81,000	83,000	−2%
Art Barlin (now closed)	2008	35,000	35,000	0%
Art Brussels	1968	25,500	24,000	6%
Art Cologne	1967	57,000	55,000	4%
Artissima	1994	55,000	54,800	0%
Brafa Art Fair	1956	66,000	64,000	3%
Expo Chicago	2012	38,000	38,000	0%
FIAC	1974	74,580	72,499	3%
Frieze London	2003	70,000	67,800	3%
Frieze Masters	2011	44,000	42,400	4%
Frieze NewYork	2012	39,000	41,800	−7%
Frieze Los Angeles	2019	30,000	—	—
Masterpiece	2010	55,000	51,000	8%
Paris Photo	1997	70,598	68,876	3%
TEFAF Maastricht	1988	70,400	68,271	3%
Viennacontemporary	2012	29,163	30,863	−6%

出典：The Art Market 2020, an Art Basel & UBS Report
©Arts Economics (2020)

表8　主要なアートフェアの入場者数（2018〜2019年）

ネル並びにＬＶＭＨグループは、出展料の払い戻しを要求。また２０２１年１月へ延びた、同フェアへの出展取り止めを表明しました。さらには２０２１年の春に、ジュネーブで独自の代替フェア開催を計画していることまで報じられています。

格式と歴史を誇るラグジュアリーな見本市からの主要メーカー離反は、多くの関係者を驚かせました。アート・バーゼルは、アート・ワールドでは並ぶもののない地位を築いていますが（表8）（表9）が、他の展示会や見本市の状況次第では、同社の屋台骨も揺らぎかねません。

フェア名	創立年	2019 出展者数(軒)	2018 出展者数(軒)	2019-2019 増減
ARCO Madrid	1982	203	208	－2％
The Armory Show	1994	197	198	－1％
Art Basel	1970	290	292	－1％
Art Basel Hong Kong	2013	242	248	－2％
Art Basel Miami Beach	2002	269	268	0％
Art Barlin (now closed)	2008	113	121	－7％
Art Brussels	1968	157	145	8％
Art Cologne	1967	176	210	−16%
Artissima	1994	208	196	6％
Brafa Art Fair	1956	133	134	－1％
Expo Chicago	2012	135	135	0％
FIAC	1974	199	195	2％
Frieze London	2003	160	160	0％
Frieze Masters	2011	130	130	0％
Frieze New York	2012	195	190	3％
Frieze Los Angeles	2019	70	—	—
Masterpiece	2010	156	160	－3％
Paris Photo	1997	213	199	7％
TEFAF Maastricht	1988	279	278	0％
Viennacontemporary	2012	110	110	0％

出典：The Art Market 2020, an Art Basel & UBS Report
ⒸArts Economics (2020)

表９　主要なアートフェアの出展者数（2018〜2019年）

　他方、２０２０年５月には、２年連続で延期されていたシンガポールの新たなアートフェア「Art SG」が、三度２０２０年10月から２０２１年11月への延期を発表しました。

　フェア・ディレクターのマグナス・レンフリュー（台北當代の共同ディレクターも務めています）はスケジュールの変更理由に、パンデミックに対する安全性の確保や国際線運航状況などに対する不安を挙げています。２０１９年１月16日、東南アジア最大のフェア「アート・ステージ・シンガポール」が開幕直前に急遽中止を決定して以来、同地はアートフェアの空白地帯となっています。[*61]

9月への延期決定後、結果的に今年の開催を中止したアート・バーゼル2020（バーゼル）に対し、最も有力なサテライト・フェアである「リステ2020」は、開催会場を従来の多目的ホール「ヴェルクラウム・ヴァルテック」から、同地・芸術大学内にある「ドライスピッツハレ」へと移転し、会期を短縮（会期：2020年9月17日〜9月20日）した上で開催する予定です。

その出展方式は非常に興味深く、実際に現地でブースを構えるヨーロッパのギャラリーを「ホスト・ギャラリー」（以下、ホスト）と称し、彼らのブース内にコロナ禍で移動が困難な北米やアジアのギャラリーが、「ゲスト・ギャラリー」（以下、ゲスト）として作品を展示します。その管理や販売などは一括してホストに任せ、出展料はじめ展示にかかるコストをゲストと案分するシェア型のシステムになっています。各フェアは生き残りをかけ、それぞれが新しい試みに対して積極的に取り組んでいます。

この10年間でアートフェアは増え続け、現在ではある種の飽和状態に陥っているとさえいえます。加えて、出展者（ギャラリー）やコレクターも参加しないことの不安より、積極的に関わることを選択した結果、〝フェア疲れ〟のような雰囲気も広がりつつありました。コ

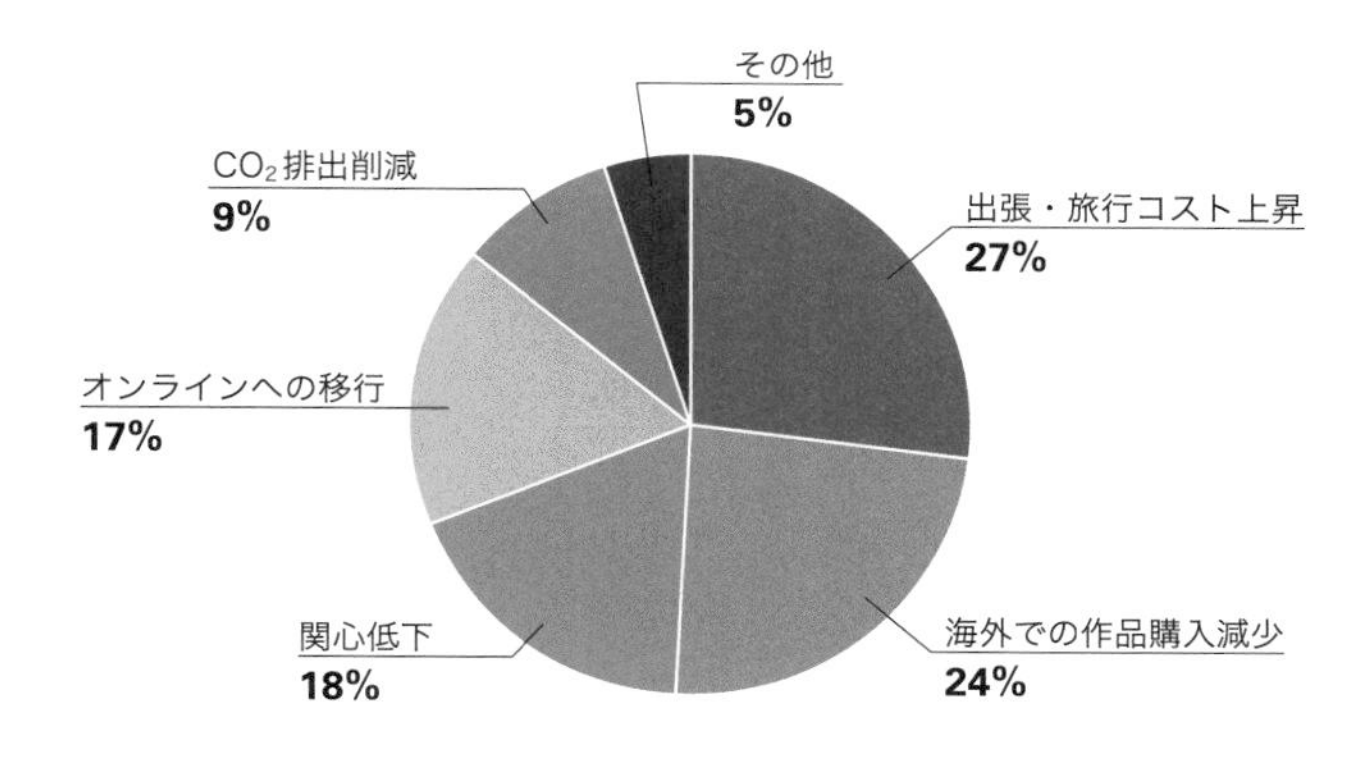

出典：The Art Market 2020, an Art Basel & UBS Report
©Arts Economics (2020)

図32　アート系イベントを目的とした出張・旅行減少理由

レクターにとっては、常に世界のどこかで開催されている芸術祭や国際展、アートフェアへの視察や参加が重荷になりはじめていたようです（図32）。

今回のコロナ禍で、そうした状況が一度リセットされたことにより、今後はアートフェアの淘汰が進んでいくと思われます。バーゼルやフリーズ、ＦＩＡＣといったトップのグローバル・フェアと、北米、ヨーロッパ、アジア圏を代表する一部のローカル・フェア以外は生き残りが非常に厳しいものとなるでしょう。

追記

２０２１年１月に延期されたバーゼル・ワ

ールドは、結果的に中止となりました。フェアのキャンセルに対する払い戻し金額に関しても、主要出展企業側と主催者側が合意・和解に至ったようです。

また、革新的な運営方法で注目されていた前出の「リステ２０２０」は、８月にフェアの開催中止を決定、オンラインへと移行しています。

同様に、バーゼル・マイアミビーチも、９月３日に２０２０年の開催見送りを発表しました。

オンライン販売は救世主になるか

アート・バーゼル香港は、２０２０年のフェア中止に伴ってオンライン・ビューイング・ルームを開設しました。ＶＩＰカード・ホルダー限定のプレビュー（２０２０年3月18日〜20日の18時まで）に続き、３月20日の18時から25日にかけては一般にも公開されています。

同ルームには世界中から２３５軒のギャラリーが参加、過去最高を記録した２０１９年アート・バーゼル香港の入場者数を遥かに凌ぐ25万人超がサイトを訪問しています。展示された２０００点以上の作品総額は、およそ2億７０００万ドル（約３００億円）に上るといわれています。

メガ・ギャラリーの一角を占めるデイヴィッド・ツヴィルナーは、総計1600万ドル（約17億7000万円）の作品を展示（バーチャルなブース内には、最大10点まで作品展示が可能です）。プレビュー初日の18日だけでマルレーネ・デュマス（Marlene Dumas, 1953年〜）の《Like Don Quixote（ドン・キホーテの様に）》（2002年）や、リュック・タイマンス（Luc Tuymans, 1958年〜）による《Tree（樹木）》（2019年）といった2点の絵画作品を、それぞれ260万ドル（約2億9000万円）と200万ドル（約2億2000万円）で販売しています。

また、ハウザー&ワースも初日で、ジェニー・ホルツァー（Jenny Holzer, 1950年〜）やピピロッティ・リスト（Pipilotti Rist, 1962年〜）らの作品を各々14万〜60万ドル（約1550万〜6600万円）で売却するなど、セールス的にも非常に好調だったようです。[*62] ここでもオークション同様に、評価が確立されているアーティストの手堅い高額作品が好まれています。

続いてアート・バーゼルは、本来のフェア開催予定日であった6月に再度オンライン・ビューイング・ルームを開催（会期：2020年6月17日〜18日がVIP専用、一般公開は6月19日〜26日）。35の国と地域から282軒のギャラリーが参加し、全出品数4000点の総価格は7億4000万ドル（約815億円）に達していたそうです。前回（香港）からわずか3ヶ月後の実施ながら、23万人以上のサイト訪問者を記録するなど大いに賑わっていました。デイヴィッド・ツヴィルナーはここでも大きな存在感を示し、10点の作品を初日に販売。およそ1000万ドル（約10億7000万円）の売上を達成していました。[*63]

一方でニューヨークを拠点とする「ニュー・アート・ディーラーズ・アライアンス（New Art Dealers Alliance）」（以下、NADA）は、新しい利益分配モデルを使用したバーチャル・アートフェア「フェア（Fair）」（会期：2020年5月20日〜6月21日）を開催しています。同フェアでは、コロナ感染拡大によって経済的ダメージを受けた200軒以上の出展ギャラリーを、直接的にサポートする新しい試みを展開しています。

オンラインでの作品売却に対して、全売上代金から最初の20パーセントを全出展者で均等に配分します。続く20パーセントは、全出展作品を制作したアーティスト全員に割り当てられます。さらに10パーセントを主催者であるNADAに支払った後、残りの50パーセントを当該作品販売ギャラリーと作品を制作したアーティストで案分します（通常はブース代などのコストや作品制作費を除いて、ギャラリーとアーティストで売上を等分します）。

同イベントの名称「フェア」は一見非常にシンプルですが、なるほど「博覧会」や「見本市」としての“Fair（名詞）”と、「公正な」あるいは「公平な」を表す形容詞としての“Fair”から成るダブル・ミーニングであったことがわかります。

他方、アート・バーゼル・マイアミビーチのサテライト・フェアである「アンタイトルド、アート」は、高解像度作品画像とＶＲ（仮想現実）機能を用いたウォーク・スルー型の画期的なオンライン・フェア「アンタイトルド、アート オンライン（UNTITLED, ART Online Powered by Artland）」（会期：２０２０年７月31日〜８月２日）をローンチしています。ビデオ・ゲーム用のＶＲソフトを利用しているため、サイト訪問者はまるで実際の展示会場内を巡るように、仮想空間の中を歩き回ることが可能です。

２０２０年12月、マイアミビーチ（会期：２０２０年12月２日〜６日）と、２０２１年１月サンフランシスコ（会期：２０２１年１月15日〜17日）会場における２つのフェアは今のところ開催予定に変更はありませんが、フェア・オーガナイザーはこの独自プラットフォームの普及にも、引き続き力を入れていくようです。

アートフェアに続き本項の最後では、オークションにおけるオンライン・セールの動向についても少々言及しておきたいと思います。オークション全体の売上におけるオンライン売上金額と占有率は、ここ10年間で順調に成長しています（図33、１３８ページ）（図34、同）。

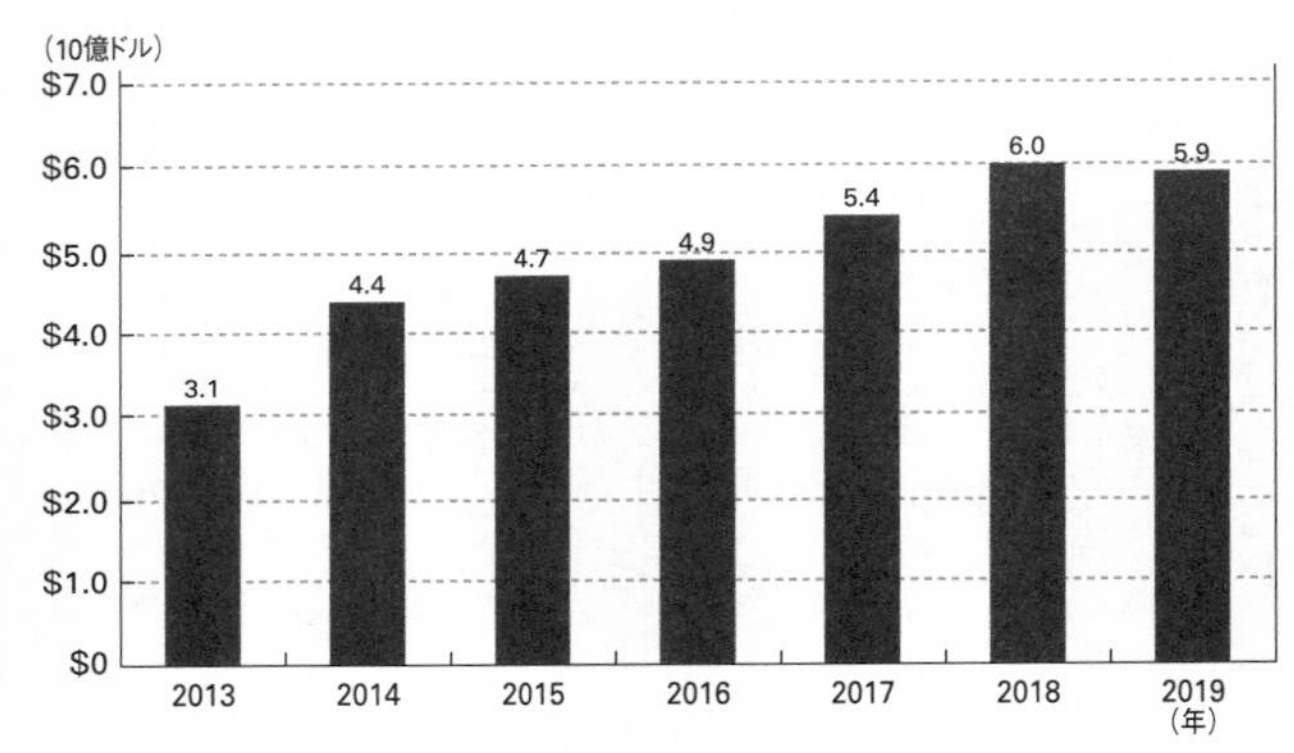

出典：The Art Market 2020, an Art Basel & UBS Report
©Arts Economics（2020）

図33　アート作品（古美術含む）のオンライン市場成長推移（2013～2019年）

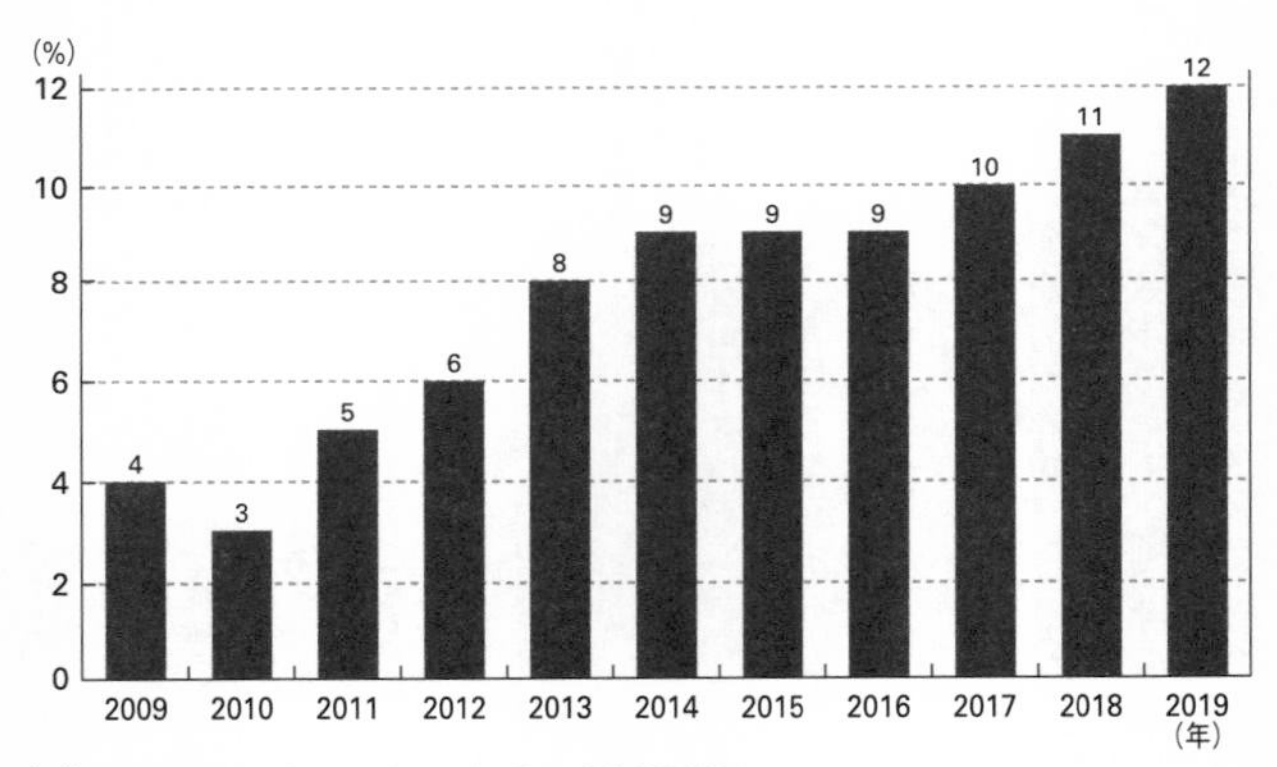

出典：The Art Market 2020, an Art Basel & UBS Report
©Arts Economics（2020）「Invaluable」提供データにより作成

図34　オークションにおけるオンライン・セールの売上占有率推移（2009～2019年）

ネット通信環境の整備やスマホなど各種デバイスの普及、決済手段の利便性向上が、こうした傾向を後押ししているといえるでしょう。
第3節でも述べたように、趣味性の高い廉価な作品を中心とした同市場は、コロナ禍を契機に今後ますます伸長が期待されています。

追記
メガ・ギャラリーのハウザー&ワースは、アート・レビュー誌と提携し、オンライン・フェアである「第2回ジューン・アートフェア（June Art Fair）」（会期：2020年8月20日～31日）を主催、12ケ国から17軒のギャラリーを集めています。領域を横断した彼らの貪欲な事業欲から、しばらくは目を離せそうにありません。

3・7　美術館の取り組み

コロナウイルスの流行により、世界中の美術館や博物館は臨時休館を余儀なくされていま

順位	美術館・博物館名	都　市	国	入場者数（人）
1	ルーヴル美術館	パ　リ	フランス	10,200,000
2	中国国家博物館	北　京	中　国	8,610,000
3	メトロポリタン美術館	ニューヨーク	米　国	7,360,000
4	ヴァチカン美術館	ヴァチカン	ヴァチカン	6,756,000
5	スミソニアン国立航空宇宙博物館	ワシントンD.C.	米　国	6,200,000
6	大英博物館	ロンドン	英　国	5,869,000
7	テート・モダン	ロンドン	英　国	5,829,000
8	ナショナル・ギャラリー	ロンドン	英　国	5,736,000
9	ロンドン自然史博物館	ロンドン	英　国	5,226,000
10	アメリカ自然史博物館	ニューヨーク	米　国	5,000,000

出典：2018 Museum Index, VOUGUE（フランス）、 2019年6月5日

表10　2019年世界の美術館・博物館入館者数TOP10

す。その間も発生する膨大な運営諸経費を考慮しつつ、来るべき開館に向けて各館とも従来の常識を破る革新的な取り組みに力を入れています。本節では、そうした最新事情についてもレポートしていきます。

ルーヴル美術館らの〝新戦略〟

世界一の入館者数を誇るパリのルーヴル美術館は、2018年、ついに1000万人超の大台を突破しました（約1020万人）（表10）。それは過去最高を記録した、2012年の970万人を大幅に上回る快挙でした。

同館はその要因を、1日の来場者数が5150人にも上った「ドラクロワ」展（会期：

図35　The Carters（Beyoncé & Jay-Z）「Apeshit」MV より

２０１８年３月29日～７月23日、総来場者数は約54万人）と、ビヨンセ＆ジェイ‐Ｚによるザ・カーターズ（The Carters）が発する幅広い層に向けたアピールの賜物であったと分析しています。

米国ヒップホップ界を代表するパワー・カップルによる同ユニットは、ニュー・アルバム『エヴリシング・イズ・ラヴ（Everything Is Love）』からリード・シングル曲「エイプシット（Apeshit）」のミュージック・ビデオ（以下、ＭＶ）（図35）を制作するにあたり、全編ルーヴル美術館において撮影を敢行。《モナ・リザ》（１５０３～１５０６年）にはじまり、《サモトラケのニケ》（紀元前２００～紀元前１９０年頃）や《ミロのヴィーナス》（紀元前１３０～紀元前１００年頃）といった美術史を代表するマスター・ピースを次々に登場させました。名作の美しさに思わず息を呑み、壮麗なダンス・シーンには圧倒されるばかりです。

しかし、注意深く眺めていれば、映像に込められた彼らの強烈なメッセージに気づくはずです。白人優位主義を視覚化した作品群と、有色人種（黒人）による音楽、そして身体表現の鮮やかな対比は、西欧文明における長い人種差別の歴史を私たちに強く喚起させます。[*64]「ブラック・ライヴズ・マター（Black Lives Matter）」運動[*65]の先駆的存在でありながら、抗議運動を洗練されたＭＶへと昇華させた彼らのセンスとパワーには、ただただ脱帽させられます。

さて、１０００万人超の入館者数を誇るルーヴル美術館に対し、世界第３位につけるニューヨークのメトロポリタン美術館は、入館料を本人の篤志に任せる「ペイ・アズ・ユー・ウィッシュ（あなたの望む金額をお支払い下さい）」制度を、２０１８年３月１日から定額制へと変更しました。新システムでは、これまで〝推奨額〟とされていた大人25ドルが通常の〝入館料〟となったわけです。

これは、過去8年間で来場者が40パーセント増加していたにもかかわらず、寄付制によるチケット収入が大幅に低下していたことに起因しています。推奨額であった25ドルを支払う来館者は、２００４年には全入館者の63パーセントを占めていました。しかし、制度改定前

図36　メトロポリタン美術館による展示例（メトロポリタン美術館のWebサイトより）

にはわずか17パーセントにまで落ち込んでいたといいます。また、一人あたりの平均入館料も９ドルへと低下していたため、同館の運営に深刻な影響をもたらしていたのです。[*66] METガラで一晩に１３５０万ドル（約15億円）の寄付金を集める同館も、[*67] サックラー・ファミリーからの大口助成が見込めない今、入場料収入の低下は死活問題になりかねません。[*68]

こうした厳しい環境変化の中では、老舗美術館とて手をこまぬいているわけにはいかないでしょう。同館は２０２０年４月27日にデジタル化した40万点に上る所蔵作品に関して、任天堂のシミュレーションゲーム「あつまれ どうぶつの森（Animal Crossing New Horizons）」へのシェア機能を導入したと発表しました。このことによって、ゴッホ（Vincent Willem van Gogh, １８５３～１８９０年）の《麦わら帽をかぶった自画像》（１８８７年）

順位	美術館・博物館名	都　市	国	入場者数（人）
1	ルーヴル美術館	パ　リ	フランス	7,400,000
2	メトロポリタン美術館	ニューヨーク	米　国	7,006,859
3	大英博物館	ロンドン	英　国	6,420,395
4	ナショナル・ギャラリー	ロンドン	英　国	6,262,839
5	ヴァチカン美術館	ヴァチカン	ヴァチカン	6,066,649
6	テート・モダン	ロンドン	英　国	5,839,197
7	国立故宮博物院	台　北	台　湾	4,665,725
8	ナショナル・ギャラリー	ワシントンD.C.	米　国	4,261,391
9	エルミタージュ美術館	サンクトペテルブルグ	ロシア	4,119,103
10	ソフィア王妃芸術センター	マドリード	スペイン	3,646,598
13	ポンピドゥー・センター	パ　リ	フランス	3,335,509
16	オルセー美術館	パ　リ	フランス	3,000,000
17	ニューヨーク近代美術館	ニューヨーク	米　国	2,788,236
20	国立新美術館	東　京	日　本	2,623,156

出典：The Art Newspaper（英国）、Number289、2017年４月

表11　2018年世界の美術館・博物館入館者数TOP10

から、葛飾北斎（１７６０年頃〜１８４９年）《富嶽三十六景 神奈川沖浪裏》（１８３１〜１８３３年）まで古今東西の名画を、同ゲーム内で公式素材として使用することが可能となりました（図36、１４３ページ）。

２０２０年３月13日以来、同館はコロナウイルスの感染拡大を避け、臨時休館（同年８月29日に開館）措置をとっていました。ステイ・ホームで爆発的な人気を博す「あつまれどうぶつの森」を利用した画期的なＰＲ作戦は、果たして成功するか否か今後の成り行きを見守っていきたいと思います。また同様の試みは、北京の「木木美術館」やロサンゼルスのゲティ美術館でも行われています。[*69]

なお、表10について、通常ランク・インし

ているはずのニューヨーク近代美術館や故宮博物院（台湾）が入っておらず、いささか不自然な点も少なくないため、別ソースからの２０１８年版を参考のために並置しておきます（表11）。

「バーチャル・ミュージアム」

コロナ感染下における臨時休館が不可避な中で、前述した人気ゲームとのコラボレーションだけでなく、バーチャル・ミュージアムへの取り組みを加速させる美術館や博物館も現れ始めています。

様々な話題作りで入館者数第１位を誇るルーヴル美術館も、まだまだ改革の手を緩めてはいません。ルーヴル・ピラミッドを間近に臨むナポレオン広場から館内まで、３６０度見渡せるオンライン・ビューイングに加え、「古代エジプト美術」や「アポロンのギャラリー」といったテーマに沿って館内を巡るヴァーチャルツアー[*70]（ルーヴルでは、〝ヴァーチャル〟と呼称）も用意されています（この企画は、資生堂のメセナによって実現しています）。

もちろん、入館者数で同館の後塵を拝しているものの、着々と新規施策に取り組むメトロポリタン美術館も、バーチャル・ミュージアムに対しては非常に積極的です。

特筆すべきは「The Met 360° Project」[*71]と呼ばれるシステムで、動画でありながら「クロイスターズ美術館」[*72]や「デンドゥール神殿」[*73]（広大な展示室は、前出サックラー・ファミリーによる寄贈です）を３６０度眺めることが可能です。また、アジアでは入館者数No.１の国立故宮博物院も、ＶＲを利用したバーチャル・ミュージアム・サービス「720° VR National Palace Museum」[*74]を提供しています。

同様の動きは、日本でもすでに一部で行われています。67万８９７７人を集めた『恐竜博２０１９』（会期：２０１９年7月13日～10月14日）や『特別展 ミイラ─「永遠の命」を求めて』（会期：２０１９年11月2日～２０２０年2月24日）などの大ヒット展覧会で来館者層を広げた国立科学博物館は、一般社団法人ＶＲ革新機構の協力を得て３Ｄビュー＋ＶＲ映像による「おうちで体験！ かはくＶＲ」[*75]（日本館・地球館）（図37）を、２０２０年４月24日から公開しています。

一方、森美術館は、臨時休館中に開設したオンライン・プログラム「Mori Art Museum DIGITAL」[*76]（ＭＡＭデジタル）」内で期間限定プログラム「Stay Home, Stay Creative, MAM@HOME」（会期：２０２０年４月28日～７月31日）をスタートさせています。会期途

図37　おうちで体験！　かはくVR「日本館」© VR革新機構　提供：国立科学博物館

中の2020年2月28日にコロナ禍で急遽休館となり、結果的にそのまま会期終了を余儀なくされた『未来と芸術展：AI、ロボット、都市、生命―人は明日どう生きるのか』の3Dウォーク・スルーは、南條史生元館長（現・森美術館特別顧問）の解説付きで公開されています。また、開幕が延期となっている「MAMスクリーン013：ムニーラ・アル・ソルフ」による映像作品の先行上映や、過去のワーク・ショップを動画で体験することができる「ラーニングONLINE」など、多彩なプログラムを楽しむことも可能です。

　こうした流れは美術館ばかりでなく、他業種の動向にも影響を与えています。リアルタイム高速デジタル信号処理技術を中核に、精密機器製造を手がけるアストロデザイン株式会社（東京）は、8K超高解像度画質を誇る3Dバーチャル・ミュージアム「八景 デジタルアートキューブ」について、Web版とさらに高品質なアプリ版での展開を開始しました。[*77]

暗雲

さて、6月以降条件付きながら、多くの美術館、博物館が再開されています。国立西洋美術館の『ロンドン・ナショナル・ギャラリー展』は、当初の会期2020年3月3日～6月14日を、コロナ感染予防の観点から2020年6月18日～10月18日に変更。日時指定制度による、入場人数制限を行った上で開催しています。実際の展覧会は〝展示作品より他人の頭を見にきた〟というような混雑もなく、非常にゆったりと鑑賞することができました。

その一方で、閉館中および会期延長に伴う追加コストに関し、いささか心配になったことも事実です。来館者の安全確保は最優先されるべき事項ですが、日時指定入場券や整理券配布による（限られた人数による）入館料収入では、膨らんだコストに対してペイすることは極めて難しいでしょう。今後は新聞社などメディアが主催する大規模企画展も、コストと収益のバランスをよりシビアに見直す必要が生じてくるはずです。

また、東京国立博物館で開催された「特別展 きもの」（変更後の会期：2020年6月30日

〜8月23日）では、当初予定されていたメトロポリタン美術館とボストン美術館からの作品出品が、コロナ感染拡大の影響で急遽展示中止となっています。今後は展覧会運営コストだけでなく、海外からの作品貸与に関しても、ますます厳しくなっていくことが予想されます。コロナウイルスはこのように、名品を目玉にしたブロック・バスター展[*78]の行く末にも暗雲を漂わせています。

〝予約の取れない宿〟に学ぶ

前項で述べた通り、バーチャル・ミュージアムへの取り組みは世界的に高まりつつあります。しかしながら、現状では無料サービスとして提供されており、そのマネタイズが今後の大きな課題となっていることも、また事実です。そこで別業界ではありますが、やはりコロナ禍で苦戦を強いられている宿泊業における革新的な試みを紹介しておきたいと思います。

コロナ流行によって、一時期は世界中の宿泊施設が臨時休業状態にありました。そうした中、和歌山県那智勝浦町にあるゲストハウスWhyKumano Hostel & Cafe Barは、旅の擬似体験を提供する画期的な「オンライン宿泊」サービスを２０２０年４月６日にスタートしています。

事前予約したゲストは、宿泊当日にビデオ通話機能を使用してチェックインします。オーナーやスタッフによる館内案内の後は、彼らの進行でゲスト同士の交流会（いわゆる、オンライン飲み会です）が行われます。翌朝は宿泊お礼のメッセージとともに、チェックアウト後の旅をイメージさせる5分間の動画が送られてくるといった内容です。

バーチャルな宿泊料金は、後日のリアル訪問時に使用可能なワンドリンク・サービス付きで、一人1500円に設定されています。そこには、「いつか再会した時に乾杯しよう」という強い思いが込められています。[*79] 通常の（リアルな）宿泊営業も2020年7月1日に無事再開されていますが、オンライン宿泊サービスについても継続提供しています。サービス開始以降、反響が大きく連日満床状態で、今や〝予約の取れない宿〟となっているそうです。

バーチャル美術館・博物館とオンライン宿泊における最大の差異は、前者が無料、後者は有料サービスとして提供されている点です。額の多寡にかかわらず、料金を支払うことでゲストは真剣な体験を自ら求めるようになります。また、宿泊料の1500円に付随した後日訪問時のドリンク・サービスは、金額以上の来場促進機能を果たしているといえるでしょう。

毎晩6人の予約枠が連日満床であっても、コストや手間を考えれば利益を出すことは困難です。しかし、これを宿泊施設のＰＲや広告、あるいはゲストと宿の事前マッチング・サービスと考えれば、サービス提供側と利用者の双方にとって満足度の高い有意義なサービスであると考えられないでしょうか。

美術館が提供するバーチャル・サービスにも、後日のリアルな訪問誘引機能だけでなく、カフェやミュージアム・ショップといった付属施設の利用を促す仕組みを付加し、オンライン宿泊におけるゲスト交流会のような〝特別な体験〟を提供することが、必須であると考えています。

3・8　インバウンドとアート

コロナ禍により海外との物理的交流がストップしたことに加え、国内でも緊急事態宣言発令やステイ・ホーム推奨などにより、日本の観光業は未曾有の危機に瀕しています。特にここ数年は、中国、韓国を中心としたインバウンド需要の高まりによって〝我が世の春〟を謳歌していたため、その減速スピードと影響の大きさに為す術もない状態であるといえます。

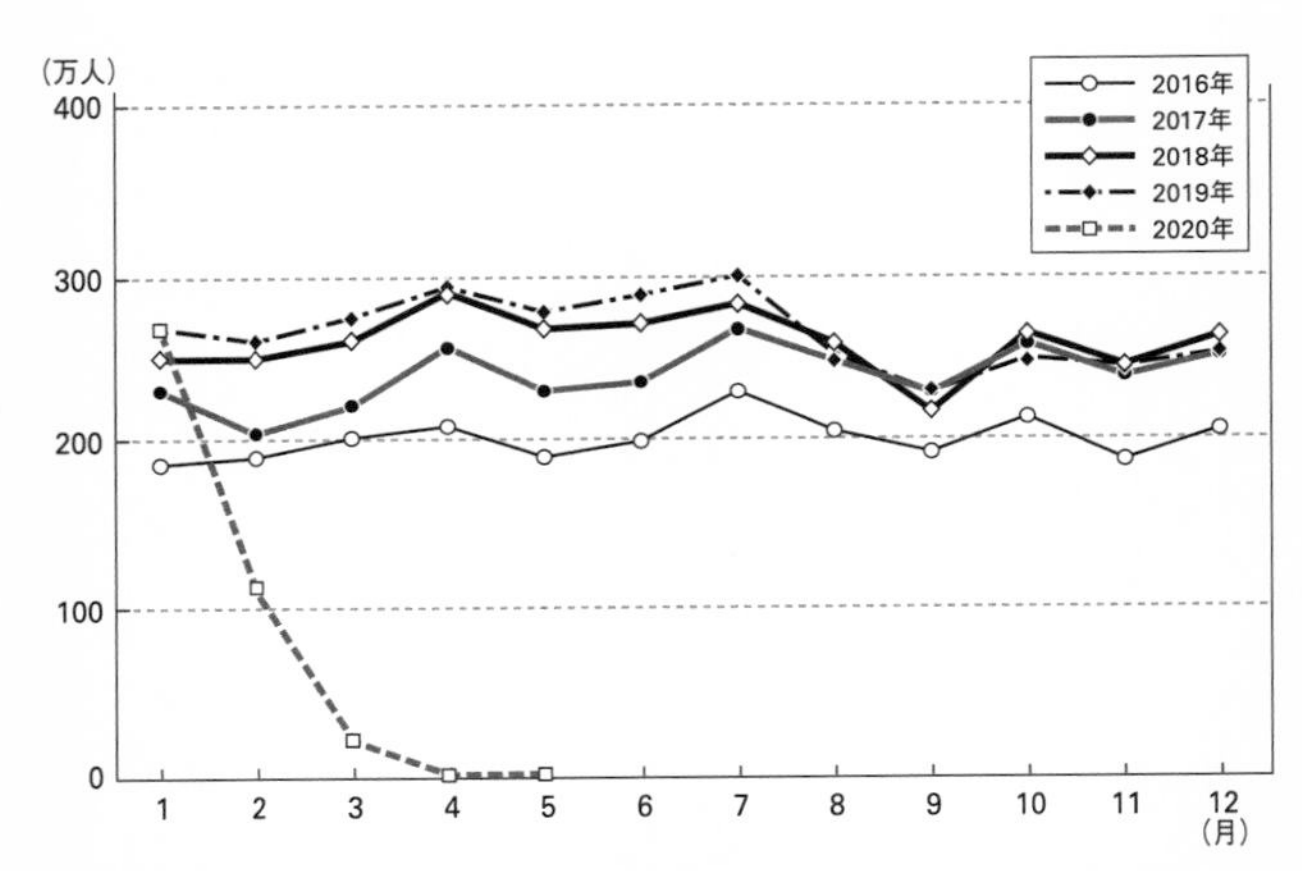

出典：JTB総合研究所「インバウンド訪日外国人動向」(日本政府観光局発表統計より作成)

図38　月別訪日外国人数の推移 (2016〜2020年)

「月別訪日外国人数の推移（２０１６〜２０２０年）」（図38）を一瞥しただけでも、折れ線グラフの不自然な急降下に目を奪われるはずです。２０２０年5月の訪日外国人は前年の２７７万３０９１人から99・６パーセントも減少して、わずか１７００人となり今や日本の観光産業基盤に壊滅的なダメージを与えています。

もっとも、中国・習近平主席や韓国・文在寅（Moon Jae-in, １９５３年〜）大統領にとっては、観光も経済戦争の有力な武器であると認識しておいた方がよさそうです。なぜなら、コロナウイルス発生源の調査を求めるオーストラリアに対し、中国文化観光省自らが同国への旅行自粛を呼びかけているからです。

また、文大統領は国を挙げての日本製品不買運動「ＮＯ ＪＡＰＡＮ」を推進、結果的にコロナ感染拡大前であったにもかかわらず、訪日韓国人の数は２０１９年９月時点で、対前年比58パーセント減の20万１２００人にまで落ち込んでしまいました。そのせいで皮肉にも、日本路線を多数有する自国ＬＣＣ（格安航空会社）各社の経営に、深刻な影響を及ぼすというブーメラン現象まで発生させています。

今回はコロナ禍という天災により、「観光業の在り方」を見直さざるを得なくなりました。しかし、現在の東アジア情勢に鑑みれば、遅かれ早かれ外交や安全保障問題の点から、インバウンド依存について再考しなければならない日が来ていたと思われます。

〝地産地消型アート〟

２０１２年から訪日外国人は急激に伸びはじめ、２０１９年には前年より２・２パーセント増加して過去最高となる３１８８万２０００人に達しました。また、その旅行消費総額も４兆８１１３億円へと伸びています。[*80]

好調なインバウンド消費は、美術館やアート関連施設にも大きな影響を及ぼしています。

森ビルがチームラボと共同で、2018年6月にお台場パレットタウンにオープンした「MORI Building DIGITAL ART MUSEUM：EPSON teamLab Borderless」は、開館1年で入館者230万人を達成。その内の約50パーセントは、世界160ヶ国以上から訪れた外国人観光客で占められていました。[*81]

また、ベネッセハウス、家プロジェクト、地中美術館（以上、直島）や、豊島美術館、心臓音のアーカイブ（以上、豊島）、犬島精錬所美術館、家プロジェクト（以上、犬島）などからなるベネッセアートサイト直島と瀬戸内国際芸術祭は、世界中から観光客を誘致することで新たな雇用を創出。若者の移住促進なども相まって、過疎化からの脱却に成功しつつあります。[*82]

一方、2004年10月に開館した金沢21世紀美術館は、開館後1年間で金沢市の人口46万5000人の3倍以上にあたる150万人の集客を達成。北陸新幹線の開業などで2015年度は200万人を突破し、さらに2018年度に過去最高となる258万人[*83]の入館者数を記録しています。こうした状況に鑑み2019年12月から2020年2月にかけて、受付カウンター拡張や券売機増設といった混雑緩和を目的とした緊急改修工事を行っています。[*84]

以上のような人気施設も緊急事態宣言解除後の現在では、手探りで慎重な運営を行っているものと思われます。また、コロナ感染拡大が収束・鎮静化したとしても、元の状態へ戻るには予想以上の時間がかかるはずです。特に訪日外国人観光客の復調は、しばらくの間望めそうにないでしょう。

こうした中、早くもウィズ／ポスト・コロナを見据えた地域活性化に向け、新たな取り組みをスタートさせたところもあります。コンセッション方式によって２０１９年民営化された南紀白浜空港は、毎日羽田⇕南紀白浜間を日本航空が３往復するのみの本州最南端に位置する地方空港です。南紀白浜温泉や熊野古道などへのアクセスは良いものの、県庁所在地の和歌山市からは関西国際空港の方が近いという地理的ハンデも負っています。

しかし同空港の運営会社を含む「ＡＡＡ（アート＆エアポート・アライアンス）」は、地元の住民・企業など有志メンバーから成る「南紀白浜みらい創造委員会」といった地域サポート組織との連携も含め、空港やＪＲ紀伊田辺駅をエントランスとして、地元施設とアート作品を組み合わせた回遊型の「南紀白浜アートウィーク（仮）」（２０２１年）の開催を計画しています。

国内最多となる６頭のジャイアント・パンダを擁する「アドベンチャーワールド」や、和歌山が生んだ博物学の巨星を顕彰する「南方熊楠記念館」、日本を代表する建築家ＳＡＮＡ

A設計[85]の「熊野古道なかへち美術館」に加え、元はホテルであった絢爛にして奇想な建物を改装した「川久ミュージアム」（図39）などに、先鋭的現代アート作品を展示する計画です。また、シャッター商店街の廃業店舗スペースを利用した映像作品による、現代版「絵金祭り」[86]のような街中美術展も同時に企画しています。

図39　川久ミュージアム外観

さらには、顔認証技術を利用した〝手ぶら〟〝顔パス〟〝キャッシュレス〟で、同地区の様々なサービスを利用できる「IoTおもてなしサービス実証」[87]を応用。周遊アプリとの連携や、デジタル・スタンプ・ラリーなどの導入も検討しているようです。将来的にはアートやデザイン、音楽といったカルチャーを軸に地域興しと雇用創出を一体化。加えて、地元エンジニアやクリエーターとの積極的な協業によって独自色を強め、インバウンドに依存しない〝地産地消型アート〟を活用したイベントやビジネス展開を目指しています。

欧米やアジアの大規模国際展や芸術祭の多くは、歴史に対する反省など政治との密接な関係性を有しています。一方日本においては、ほとんどの催しが「地域興し」を主たる目的に開催されています。特に成功事例としての「大地の芸術祭（越後妻有アート トリエンナーレ）」や「瀬戸内国際芸術祭」を、そのまま模しているケースが非常に多く見受けられます。類似した傾向の国際展も狭い国土の中で増え続ければ、自ずと淘汰が進んでいくはずです。また、明確な独自性や差異化を打ち出せなければ、近隣諸国に大きく水をあけられることにもなりかねません。したがって、一過性のブームに踊らされることなく、その地域で開催される必然性を有した芸術祭や国際展しか生き残っていけないでしょう。[*88]

こうした状況下では、強い当事者意識を有する地元企業や行政と、地域住民による堅固なチーム・ビルディングはもちろんのこと、先端テクノロジーを積極的に取り入れ〝リアル〟と〝バーチャル〟をミックスした独自イベントによる他地域との差異化が、ますます重要になってくるものと思われます。

真の地方創生に対する試金石

日本が高度成長期を迎え「日米安全保障条約反対」や「ベトナム反戦」「大学の自治要求」

などを掲げた学生運動が激化すると、「反芸術」の多大な影響を受けたアーティスト・グループが全国各地に誕生、独自の運動を活発化させ始めました。

1957年、桜井孝身、オチ・オサム、石橋泰幸、菊畑茂久馬らによって結成された「九州派」は、「反東京」「反既存画壇」を唱えながら「三井三池争議」[*89]とも密接に関わるなど、一地方のムーブメントに終わらない強い同時代性を有していました。また、1966~71年にかけて静岡を拠点に活動した飯田昭二、小池一誠、鈴木慶則らの「グループ幻触」は、評論家の石子順造[*90]（1928~1977年）を理論的支柱とし、「見る」ことの曖昧さを突いたトリッキーな作品や「もの派」[*91]との交差によって、ここ数年再び注目を集めています。さらには、前橋県庁前商店街シャッターへのペインティング・イベントや「標識絵画」によって積極的に街へと介入した「群馬NOMOグループ」（1963~1969年）、そして1967年の結成以来、関西を中心として「行為」に焦点を当てた活動を続ける「THE PLAY」などを、その代表例として挙げておきたいと思います。

ニューヨーク近代美術館での「TOKYO 1955-1970：新しい前衛」展（会期：2012年11月18日~2013年2月25日）やグッゲンハイム美術館における「具体：素晴らしい遊び場」展（会期：2013年2月15日~5月8日）以降、1950年代~1970年代の我が国前衛芸術を評価する声は、世界中で日増しに高まり続けています。こうした気運に後押しされ、近年は前述した諸グループに対する再評価も進んでいます。

福岡では前出九州派メンバー尾花成春（１９２６～２０１６年）（図40）の子息である尾花基らの遺族が中心となり、同派メンバーのほぼすべてを網羅[*92]した「九州派事務局」を結成。全作品の記録化や作品鑑定に加え、将来的なカタログ・レゾネ発行まで視野に入れた広範な活動を展開しています。また、過激なパフォーマンスで〝芸術化した反芸術〟を批判した「集団蜘蛛」（１９６８～73年）の中心メンバー森山安英（１９３６年～）を支える、北九州のオルタナティブ・スペース「GALLERY SOAP」とも連携を深めていくようです。

図40　尾花成春《花のある風景》1958年、板に油彩、カシューほか、67 × 51cm Courtesy of Gallery MORYTA and Kougadou

さらには、地元酒造メーカーとの協業による九州派作品をラベルにした限定版コレクション・ボトルの販売や、アート作品を取り入れたライフ・スタイル提案を、百貨店と協同でショー・ケース化するイベントの開催なども計画しています。２０２０年秋には、先頃ＰＦＩ[93]を利用したリユーアル事業によって蘇った福岡市美術館でも、九州派の一員「菊畑茂久馬：『絵画』の世界」展（会期：9月1日～10月25日）が開催されています。

コロナ禍によってブロック・バスター展や横並びの芸術祭開催が厳しくなる中、こうした地域の文化的コンテンツを活用した取り組みは、インバウンド依存や東京一極集中から脱する〝真の地方創生〟に対する試金石になると考えられています。

3・9 「脱・所有」とオンライン・アート

昨今では、20代を中心とする若年層の「脱消費」化が進んでいます。象徴的事例である「若者の自動車離れ」では、運転免許保有者の自動車保有率が30代で77・6パーセント、40代で79・8パーセントです。それに比べると、29歳以下では57・5パーセントという低い数値に留まっています。[94]また、少し古いデータではありますが、２００１年～２０１１年の10年間で「自動車に興味や関心がある」層は男性で29・4パーセント、女性で25・3パーセントも減少しています。[*95]

同様の指摘は、腕時計やブランド衣料などを始め、枚挙にいとまがありません。多くの著作や論考ではその要因を、『失われた20年』に育ったがゆえの費用対効果意識の高さ」や「ファスト・ファッションやＰＢ商品、ＬＣＣなど廉価で便利な製品・サービスの普及」であると述べています。[*96]

一方で、ネットから得た情報が促す「既視感による（消費）意欲減退」や、ＳＮＳでの承認欲求を満たす「モノよりもコト、楽しい体験」を挙げる声も少なくありません。[*97] 果たして今回のコロナ感染拡大は、若者の「モノ：所有」から「コト：体験」へのシフトを、さらに推し進めていくことになるのでしょうか。

インテリア・デバイス「FRAMED*」[*98]（以下、フレイムド）は、額縁型の専用デバイス（配信機器）により、デジタル・アートを壁にかけて楽しむことを可能にした新しいサービスです。２０１５年に米国のクラウドファンディング・サイト「Kickstarter（キックスタータ―）」で、目標額の７万５０００ドル（約８２５万円）を大きく上回る、およそ53万ドル（約５８００万円）の資金調達に成功したことでも大きな話題となりました。

ユーザはオンライン・アートギャラリー・サービス「FRAMED* GALLERY」を通じ、

気に入った作品を購入し再生・鑑賞することができます。料金はデバイスが9万円で、作品はエディション（限定）数によって、2000〜1万円台までまちまちです（いずれも税抜き・2020年8月現在）。

他方、先行するフレイムドに対し2020年5月にスタートしたのが、名画からオリジナル・アート作品までを幅広く閲覧できるオンライン・アート・プラットフォーム「VALL」[*99]（ヴォール）です。同サービスには、世界中の美術館が公開しているパブリック・ドメイン（著作権フリー）作品から、キュレーターが厳選した1500点以上が収録されています。ゴッホなど誰もが知る著名なアーティストの作品から、隠れた名画まで他社の同類サービスを圧倒する豊富な作品ラインナップが最大の魅力です。

図41　VALL Now から millitsuka《じゃあここでピクニックします》2019 年、パネル、紙、アクリルガッシュ、30 × 30cm　© millitsuka

加えて、若手を中心とするアーティストたちが参加する「VALL Now」（図41）では、作品投影時間に応じて月額利用料の一部をアーティストへ還元するシステムも備えています。お気に入りのアーティストを応援するという楽しみ方も、同サービスならではの特徴です。また、「VALL Device」（３万６０００円）を利用すれば、接続するだけでどんなモニターにも作品投影が可能。同機器には「４Ｋ出力対応」や「ホワイトバランス調節」、「フレーム・アジャスト（サイズ、トリミング自動調整）」といった諸機能が備えられているため、最高の鑑賞体験を手軽に実現することができます。加えて、直接壁にかけられる、いわゆるフレーム形式のＨＤ投影用スクリーン「VALL Frame」（７万２０００円）も用意されています。気になる利用料金ですが、プレミアム・コンテンツを利用する場合は月々２９８０円の定額制で、パブリック・ドメイン作品（一部オリジナル作品も含みます）のみの利用は原則として無料です（いずれも税抜き・２０２０年８月現在）。

フィットネス・バイクと定額制ワークアウト・コンテンツの提供で急成長を遂げた米国「PELOTON」のように、「私たちは、既存サービスにない『SaaS plus a box』[*100]を特長としており、日々のストリーミング体験が、新しいアートの楽しみ方を知るコミュニティ形成に寄与していくものと考えています」と、同社代表は語っています。[*101]

これらの〝所有を超えた〟新しいサービスは、今回のコロナ禍を契機として若い世代を中心に普及・拡大していくのか、引き続き注視していきたいと思います。

追記

日本を拠点とするアーティスト・コレクティブのMiND Xは《Comfort ZONE（コンフォート・ゾーン）》[*102]（２０１８年）を、今秋日本で正式にリリースされる、6DoF機能を有するオキュラスの最新ヘッド・マウント・ディスプレイ装置[*103]に付随して無償提供することを決定しました（審査後に、Oculus Storeから無料でダウンロードが可能）。

同作品は過去に「アルスエレクトロニカ・フェスティバル２０１８」（オーストリアのリンツで毎年開催される世界的メディア・アートの祭典）などで展示されており、他者からの承認獲得により自らの欲求を満たすか、承認を拒否して自分自身と向き合うかを問う体験型のインスタレーションです。彼らは、今回基本コンテンツはそのままに、ＶＲ（仮想現実）版を新たに開発しています。

作品の無料配布は、リナックス（オープン・ソースのＯＳ）のようにMiND Xのクリエーションに対する依存を高めるのか、何らかのサブスクリプション[*104]への誘引なのか、実際の展開を期待しつつ待ちたいと思います。

３・10「脱・東京」と地域経済

緊急事態宣言解除後も、テレワークの継続を表明する企業が後を絶ちません。日立製作所はグループ全体の社員30万人に対し、将来的にはテレワークを「標準」にし、出社を半分程度に抑える方針を打ち出しました。また、ＮＴＴでは社員の５割をテレワーク勤務とし、日清食品では出勤する社員の上限を25パーセントに抑えることを決定しました（西村康稔経済再生担当相は、２０２０年７月20日にテレワークの徹底を再度要請しています）。

こうした措置は、企業がコロナウイルス感染拡大下における新しい働き方を高く評価し、経営および雇用慣行改革に活用する方針を顕在化させたことに他なりません。皮肉にも政府主導の「働き方改革」は、コロナウイルスによってようやく達成されたといっても過言ではないでしょう。

それは同時に毎朝・晩あたりまえに行っていた、「通勤」という生活習慣を変えることも意味しています。〝会社ファースト〟から〝生活ファースト〟へと暮らし方がシフトすれば、家選びの選択肢も自ずと多様化していきます。〝住みたい〟場所や住空間は、通勤至便最優先から各個人のライフ・スタイルを重視した物件に変わっていくでしょう。

事実、コロナ禍以降の在宅時間は、従前より平均で3時間以上も増加し、さらに（在宅時間を）増やしたいと考えている人は約7割に上っています。また、以前に比べ、戸建てに魅力を感じている層は5割以上も増えています（株式会社オープンハウス「コロナ禍を受けた住宅意識調査」より）。[*105]

こうした傾向は、たとえ感染拡大状況が収束したとしても元に戻ることはないでしょう。郊外の戸建て住宅でテレワークに勤しみながら、文化や芸術に触れる機会を増やし、自分への投資を積極化するといった豊かな生活が、これからのスタンダードになっていくと思われます。


このような変化は「三密」とは無縁の余裕あるスペースで丁寧に生きることを促し、同時に〝アートのある暮らし〟実現にも繋がるはずです。[*106] 加えて、テクノロジーのさらなる発達は新しいライフ・スタイルを進化させ、リゾート地などで休暇を取りながらテレワークを行う「ワーケーション」[*107]などの〝より新しい働き方〟を広めていくことにもなるでしょう。

テレワークの急速な普及・拡大は、自治体や企業にとって従来の商圏や行政単位に対する見直しを迫るトリガーにもなっています。職住近接から解放された郊外生活は、東京一極集中を緩和し、地域経済圏の活性化に大きく寄与していくものと思われます。また、昨今話題再燃の「大阪都構想」に加えて、東京２０２０オリンピック・パラリンピック延期による大阪・関西万博２０２５（以下、大阪万博）への関心増大は、今後の関西圏発展に対する大きな期待を表しています。

前回の大阪万博（会期：１９７０年３月15日〜９月13日）では、稀代の名プロデューサーであった堺屋太一のもと、岡本太郎（太陽の塔）、丹下健三（「大屋根」をはじめとする基幹施設）、菊竹清訓（エキスポタワー）、榮久庵憲司（街路設備）、中谷芙二子（ペプシ館）、横尾忠則（せんい館）、具体美術協会（具体美術まつり）、コンパニオン・コスチューム（森英恵）らのクリエーターたちが集結・活躍し、同時に「反万博」を合言葉にゼロ次元、告陰、集団蜘蛛、秋山祐徳太子といった前衛パフォーマンス集団がその活動を先鋭化させていきました。

果たして今回も１９７０年代同様に、クリエイティブな新星たちに大きなプロジェクトを任せられるのか、期待を込めて見守っていきたいと思います。既視感があるメンバーでは、イノベーションの波及効果は限定的になってしまいかねないでしょう。

さらに大阪は、文化財の宝庫である京都、そして奈良と隣接する絶好のロケーションであることに加えて、２０１９年７月には「百舌鳥・古市古墳群[*108]」が世界遺産に登録されています。こうした唯一無二の文化的な観光資源を活かし、ゲームやアニメ、時に先端的なビジネスすら包含する広義の現代アートと、巨大ＩＲ施設とを組み合わせることにより、関西エリアのみならず日本全体に大きな利益をもたらすことは非常に意義深いといえるでしょう。

終章

ウィズ／ポスト・コロナ時代のアート作品

4・1　ウィズ／ポスト・コロナのアート

ここまでは、アート作品そのものというより、主にそれらを取り巻く経済的・社会的状況について述べてきました。しかし、終章ではウィズ／ポスト・コロナ時代のアート作品についても論じていきたいと思います。当然のことながら、これほど大きなテーマについてすべてを予想できるはずもなく、また市場動向などとは異なり、各種データから定量的に予測することも不可能でしょう。そこで、最近の事例からその一端について述べていくことにします。

「完新世」から「人新世」へ

ノーベル化学賞を受賞したオランダの大気化学者パウル・クルッツェン（Paul Jozef Crutzen, １９３３年～）は、２０００年に「今や『完新世[*1]』ではない。『人新世（Anthropocene）』である」と地球の現状を喝破しました。

世界人口が19世紀末の4倍となり78億人に達しつつある現在、人間の諸活動が地球環境に計り知れないほど大きな影響を及ぼしていることは明らかです。「20世紀における人口増加パターンは、霊長類というより細菌の繁殖パターンに近い」と、米国の生物学者エドワード・オズボーン・ウィルソン（Edward Osborne Wilson, １９２９年〜）も述べています。彼の計算によれば、人類のバイオマス[*2]は桁外れに大きく、これまで地球に存在してきたあらゆる大型動物に比べて約１００倍の規模に相当するといいます。

人口増加に伴って急速に進んだグローバリゼーションや都市の巨大化、そしてテクノロジーの進歩といった急激な社会変化は、二酸化炭素やメタンガスの大気中濃度を上げ、成層圏のオゾン破壊を促すのみならず、海洋の酸性化および地球温暖化といった深刻な事態をもたらしています。原発事故や核実験による放射能汚染、半永久的に分解されない合成樹脂による「マイクロプラスチック[*3]」問題、あるいは前出の地球温暖化を含め「人間の感覚だけでは知覚不可能な『ハイパーオブジェクト』の時代[*4]」は、こうした人工物質を特徴とする地質時代を形成していくことになるでしょう。

このような（人類の）社会活動は未来の地質学者から見れば、６５００万年前の巨大隕石衝突による生物大絶滅と同じくらい唐突、かつ激烈に映るかもしれません。

以上の点から人新世という呼称は、思い上がりの激しい生物種である、私たち人間に対する警告を含んでいるものと思われます。[*5] さらには、「ショーウィンドウにある価値の客体物のように、私たちは原生自然を、意図的に無目的なやり方で消費する」のではなく、「人工的に肉辺（ママ）が縫い継がれた『フランケンシュタイン』のような人工的に改編された地球環境の中で、怪物的な人工物である人間として生きていくこと」を自覚しなければならないのです。[*6]

「対称性の知性」

こうした人新世や新しいエコロジー思想下では、旧来の西欧的な人間中心主義＝（健常な）白人男性優位主義[*7]に対する疑義が拡大すると、『ポストヒューマン 新しい人文学に向けて』の著者であるロージ・ブライドッティ[*8]（Rosi Braidotti, １９５４年〜）は唱えています。「支配的な位置を占める人間による構造的には男性的な慣習、つまり、動物を含む他者の身体に対する自由なアクセスと消費を当然のこととする慣習」[*9]への批判は、直接的には動物実験反対運動や緑の党[*10]による政治活動に表れ、白人男性優位主義に対しては前出のブラック・ライヴズ・マター運動や、コロナ感染下のアジア人差別および暴力的な外国人嫌悪（ゼノフォビア）防止・排除としてすでに現出しています。放射能や地球温暖化と同様、可視化できずに人間の体内で変化しながら生き続けるコロナウイルス。その蔓延は偶然とはいえ、こうした状況下において非常に示唆的といえるでしょう。

さて、「ポスト人間中心主義」的探求を多くの領域へと広げるためには、人間の①「動物」、②「地球」、③「機械」への生成変化が必要であるとブライドッティは述べています。①とは身体を有し、状況に埋め込まれながら他の種と共生することであり、②は社会の持続可能性および気候変動の前面化、そして③については、人間と技術的回路の区分に亀裂を入れ、バイオテクノロジーに媒介された関係の導入を意味しているといえます。[*11]

宗教史学者であり野生の科学研究所所長の中沢新一（1950年〜）は、通常の言語的構造で働く「非対称性の知性」に対し、言語コミュニケーションでは聴き取れない、沈黙世界と呼応し心奥に潜む「対称性の知性」こそが、動物と人間の間に立ち塞がった壁を破壊することも可能であると説いています。[*12] そしてアジアやケルトの伝統文化は、対称性と非対称性との間にバランスをつくり出すがゆえに、「動物と人間、幻想と現実、生と死の間に超えられない壁を築造することはなかった」[*13] とも述べています。

ポスト人間中心主義

このような思考を踏まえて眺めれば《為朝と疱瘡神》（1843～1847年）（図42）もまた、違って見えてくるはずです。この画は、江戸時代の読本『椿説弓張月』[14]（1807～1811年）で、源為朝が八丈島から痘鬼（疱瘡神）を追い払った時に、「二度とこの地には入らない、為朝の名を記した家にも入らない」という証書に手形を押させたというエピソードに基づいています。

注目すべきは種々の獣霊とともに手形を渡す天然痘ウイルスが、疱瘡神として擬人化されている点でしょう。第1章でご紹介した、コレラ菌をキマイラで表現した《虎列刺退治》（図11、41ページ）にも通ずる表現スタイルです。

現代においても人気絵本・アニメ『アンパンマン』に登場する敵役「ばいきんまん」は、黴菌を擬人化したキャラクターであり、不潔を好み風呂や掃除などを嫌悪しています。

原作者のやなせたかし（1919～2013年）は、第二次世界大戦への従軍経験から「飢えや空腹に苦しむ者を救う」ことに加え、「戦いにより、破壊あるいは汚染された自然や建造物に対する後始末や謝罪」を重視したヒーロー像を構想したといいます。さらには、〝食

図42　一勇斎国芳《為朝と疱瘡神》1843〜1847年、多色刷木版画、32×42cm、内藤記念くすり博物館蔵、堺市片桐棲龍堂

べる〃や〃食べられる〃という食物連鎖的な循環を断ち切り、自らを食べ物として差し出す（空腹に苦しむ者に顔の一部を与える）自己犠牲こそが、アンパンマンの正義＝ヒーロー性を支えていると考えたのです。[*15]

また、やなせが〃大切な作品〃としてメアリー・シェリー（Mary Wollstonecraft Godwin Shelley，1797〜1851年）の『フランケンシュタイン』を挙げ、「科学的に生命を創造するというテーマの、この19世紀初頭にかかれた傑作の影響を強くうけて僕はアンパンマンを創作した」と語っている[*16]点からも、同作品は人新世を代表するアニメ作品に相応しいといえるでしょう。

平安時代に描かれた《伴大納言絵詞》

（12世紀後半）には、異なる時間を一つの構図の中で表す「異時同図法」が用いられています。また、誰もが知る《鳥獣戯画》（12〜13世紀）には擬人化された蛙や兎、猿が相撲を取ったり、水遊びをしたりする様が活き活きと描写されています。

こうした擬人化や２Ｄ（平面）に時間軸を取り込んだ伝統に則り、日本で最初に制作されたアニメが幸内純一（こううちじゅんいち）（１８８６〜１９７０年）による『塙凹内名刀之巻（はなわへこないめいとうのまき）（なまくら刀）』[17]（１９１７年）です。１９１７年は奇しくも、現代アートの祖といわれるマルセル・デュシャン(Marcel Duchamp, １８８７〜１９６８年）による記念碑的作品《泉》[18]（１９１７年）が制作された年でもあります。その歴史的な巡り合わせには、驚きを禁じ得ません。

このような作品は画にアニマ（ラテン語で生命、魂の意味）を吹き込み、人間のみならず動物や精霊までを包含する、我が国のアニミズム＝多様性への寛容を表出しています。また、曲亭（滝沢）馬琴（１７６７〜１８４８年）の代表作である『南総里見八犬伝』（１８１４〜１８４２年）のように、日本には古来多くの「異類婚姻譚」が伝わっています。最近では犬彼との恋愛をテーマにした「ＴＬ[19]（ティーンズラブ）」も散見されています。

加えて、現代アート分野においては、出色の存在として長谷川愛の《私はイルカを産みたい…》（２０１１〜２０１３年）（図43）を挙げておきたいと思います。

図43　長谷川愛《私はイルカを産みたい…》2011〜2013年、映像、立体、ダイアグラム、写真　© Ai Hasegawa

アフリカやオセアニア地域では人口が爆発的に増加する一方、多くの先進国においては地球環境や経済・社会状況の悪化が少子化傾向を促し、非常にアンバランスな状態に陥っています。また、現在77億人（2019年実績）の人口は、2050年には約100億人に達すると予測されており、食糧危機問題を徐々に顕在化させています。さらに、食の多様化や深刻な海洋汚染および温暖化により、マグロやイルカといった大型海洋生物は絶滅の危機に瀕しているのです。

こうした状況下において同作品は、子どもを産むという自然の欲求と人口増加抑制の両立に加え、食糧問題の解決や貴重な海洋生物の保護を目指して考案・制作されています。正に〝産む〟ことと〝食べる〟ことについて両義的でありながら、スペキュラティブ・デザイン思考[20]によって生み出された、ポスト人間中心主義時代を象徴する作品といってても過言ではないでしょう。

コロナウイルスの発生源は、アナグマやネズミといった様々な野生生物を食糧として扱う武漢の「華南海鮮」（海鮮卸売市場）であるといわれています。また、コウモリ由来感染症説に対する検証も現在までに着々と進んでいます。コロナに限らず、ここ数年流行した伝染病であるＳＡＲＳ（重症急性呼吸器症候群）やＭＥＲＳ（中東呼吸器症候群）も、前者がラクダ、後者は猫やフェレットとの人獣共通感染症です。そもそもウイルス自体、生きている細胞の中でしか増殖することができません。こうした疫病の蔓延は、私たちにポスト人間中心主義時代の到来を強く想起させます。[21]

オラファー・エリアソンが問う「地球への生成変化」

「動物＝他の種と共生」に続いては「地球への生成変化」、すなわち社会の持続可能性および気候変動の前面化について述べていきたいと思います。

「オラファー・エリアソンときに川は橋となる」（東京都現代美術館）は、コロナ感染拡大に

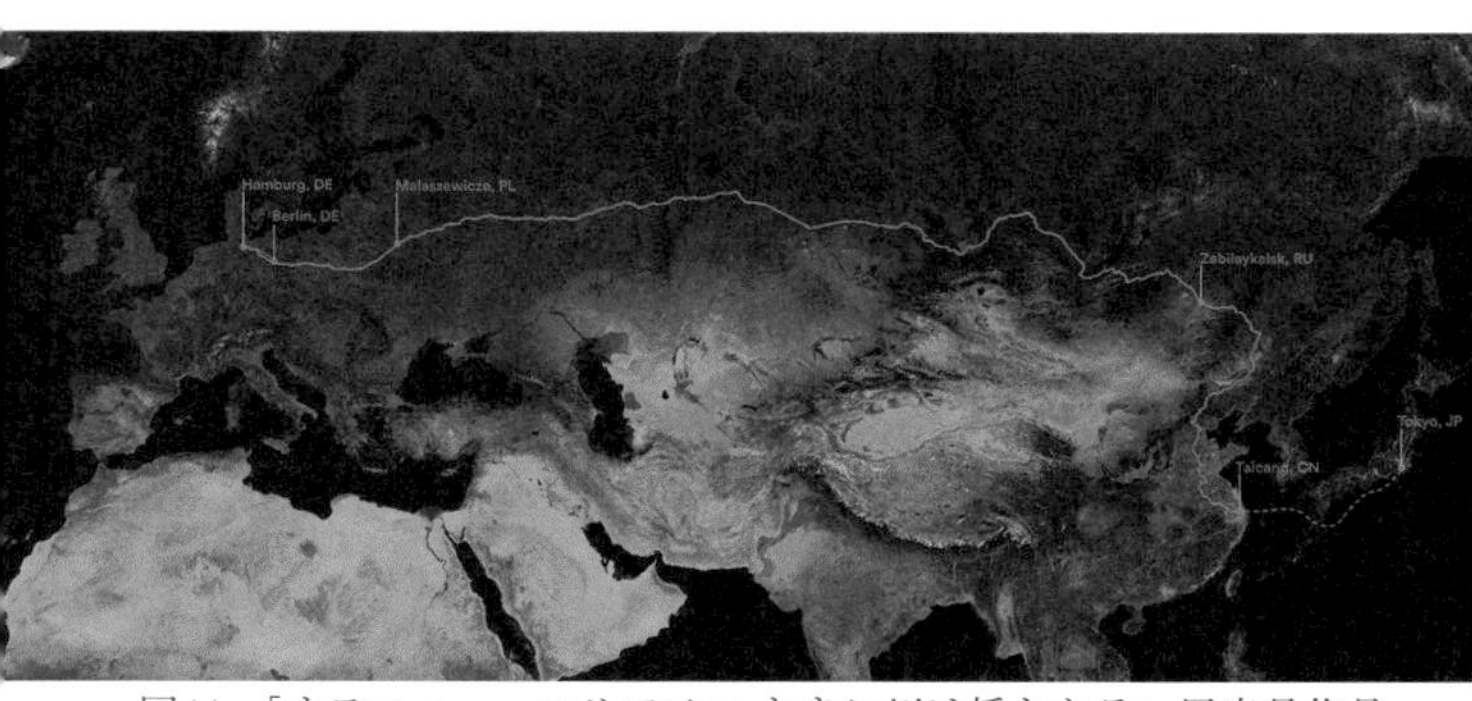

図44　「オラファー・エリアソン　ときに川は橋となる」展出品作品輸送経路
Map of transport route Berlin-Tokyo, of artworks for Olafur Eliasson's exhibition *Sometimes the river is the bridge*, Museum of Contemporary Art, Tokyo
Visualization: Michael Waldrep/Studio Olafur Eliasson

より元々予定されていた会期（２０２０年3月14日〜6月14日）を、同年6月9日〜9月27日に変更して開催されました。アイスランド系デンマーク人アーティストであるオラファー・エリアソン（Olafur Eliasson, １９６７年〜）は、従前からアートを介したサスティナブルな世界実現に向けた様々な試みにより、国際的に高く評価されています。今回の大規模個展は、彼の再生可能エネルギーに対する高い関心と、気候変動への強い働きかけを中心に構成されています。

　中でも特筆すべきは《クリティカル・ゾーンの記憶（ドイツ－ポーランド－ロシア－中国－日本）no.1-12》（２０２０年）と題された12点組のドローイング作品です。

　同展で展示された作品は、二酸化炭素を多く排

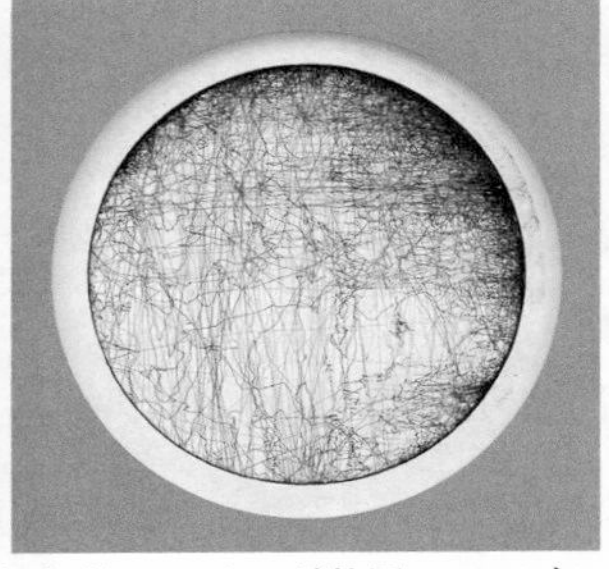

図45 （左）クレートに取り付けられたドローイング装置、2020年
（L）Transport crates for Olafur Eliasson's Memories from the critical zone（Germany-Poland-Russia-China-Japan, no. 1-12）、2020 Installation view: Studio Olafur Eliasson
Photo: Jens Ziehe © 2020 Olafur Eliasson
（右）《クリティカル・ゾーンの記憶（ドイツ - ポーランド - ロシア - 中国 - 日本）no.1-12》部分、2020年
（R）Olafur Eliasson
Memories from the critical zone（Germany-Poland-Russia-China-Japan, no. 10）、2020
Installation view: Museum of Contemporary Art, Tokyo, 2020
Photo: Kazuo Fukunaga
Courtesy of the artist; neugerriemschneider, Berlin; Tanya Bonakdar Gallery, New York/Los Angeles © 2020 Olafur Eliasson

出する航空機の利用を避け、ベルリン（ドイツ）から東京まで鉄道と船舶で運搬されました（図44、179ページ）。クレート（アート作品輸送用の木箱）に取り付けられた装置によって、同作品上には移動途中に起こったすべての〝動き〟や〝揺れ〟が無数の線描で表されています（図45）。換言すれば、時間や輸送といった不可視な存在を、「美」へと昇華しつつ可視化した作品といえるでしょう。

また、《溶ける氷河のシリーズ1999／2019》（2019年）は、1999年とその20年後に同じ場所で撮影された氷河の写真30点を並置した作品です。地質学的な尺度における20年は、ナノ秒（1秒の10億分の1）にしか過ぎません。こうした瞬きのような短時間で、気候変動が地球に及ぼした影響の大きさを一目で確認することができます。

さらに、彼の代表作でもある《アイス・ウォッチ》（2014年〜）は、グリーンランドから運んできた氷塊を、気候変動枠組条約締約国会議の開催などに合わせ、街中に配したインスタレーションです。道行く人々は、氷に触れたり、舐めたり、閉じ込められていた気泡が解き放たれる時の破裂音に耳を澄ましたりと思い思いに楽しむことが可能です。エリアソンはその意義を、「氷河の氷はぼくら人間と同じくらい活動的なんだということを考慮に入れると、氷の活動を受容する立場を取ることにもなる―氷のホスピタリティ〔＝こちらを迎え入れてホスティングしようとする性質〕を感じる[*22]」と語っています。

「わたしたちはすでにみなサイボーグなのだ」

さて、重篤化したＣＯＶＩＤ‐19罹患者への「人工肺[*23]（ＥＣＭＯ）」を用いた治療が、一時期非常に大きな話題となりました。呼吸と循環機能を代替する同装置による生命維持は、ある意味で身体の一部機械化と考えることもできます。
「すでに、現代人はキメラになってしまった。理論的にも実質的にも、人間は機械と生物の混合体（キメラ）と化した。つまり、わたしたちはすでにみなサイボーグなのだ」[*24]と説いたのは、『サイボーグ・フェミニズム』の著者であるダナ・ハラウェイ[*25]（Donna Jeanne Haraway, １９４４年〜）です。さらに彼女は「サイボーグは、脱性差時代の世界（ポスト・ジェンダー・ワールド）の産物である。サイボーグは両性愛（バイシェクシャリティ）とも前エディプス神話的共生とも疎外なき労働とも関係がない」[*26]と述べています。

　先頃、スカーレット・ヨハンソン主演によってハリウッドで実写化された『ゴースト・イン・ザ・シェル（Ghost in the Shell）』（２０１７年）は、元々士郎正宗（しろうまさむね）原作の漫画『攻殻機動隊』（初出『ヤングマガジン海賊版』１９８９年5月号）に端を発し、劇場用アニメ映画やテレビ・アニメ作品となって世界中で人気を博していました。

　それは、脳神経ネットに素子（デバイス）を直接接続する電脳化や、義手・義足にロボティクスを付加した発展系としてのサイボーグ（義体化）技術が発達・普及したパラレルワールドを舞台にしています。主人公の草薙素子（くさなぎもとこ）は、脳と脊髄の一部を除く全身を義体化された女性型サイボーグという設定です。日本のサブ・カルチャーが早くも１９８０年代から、ポ

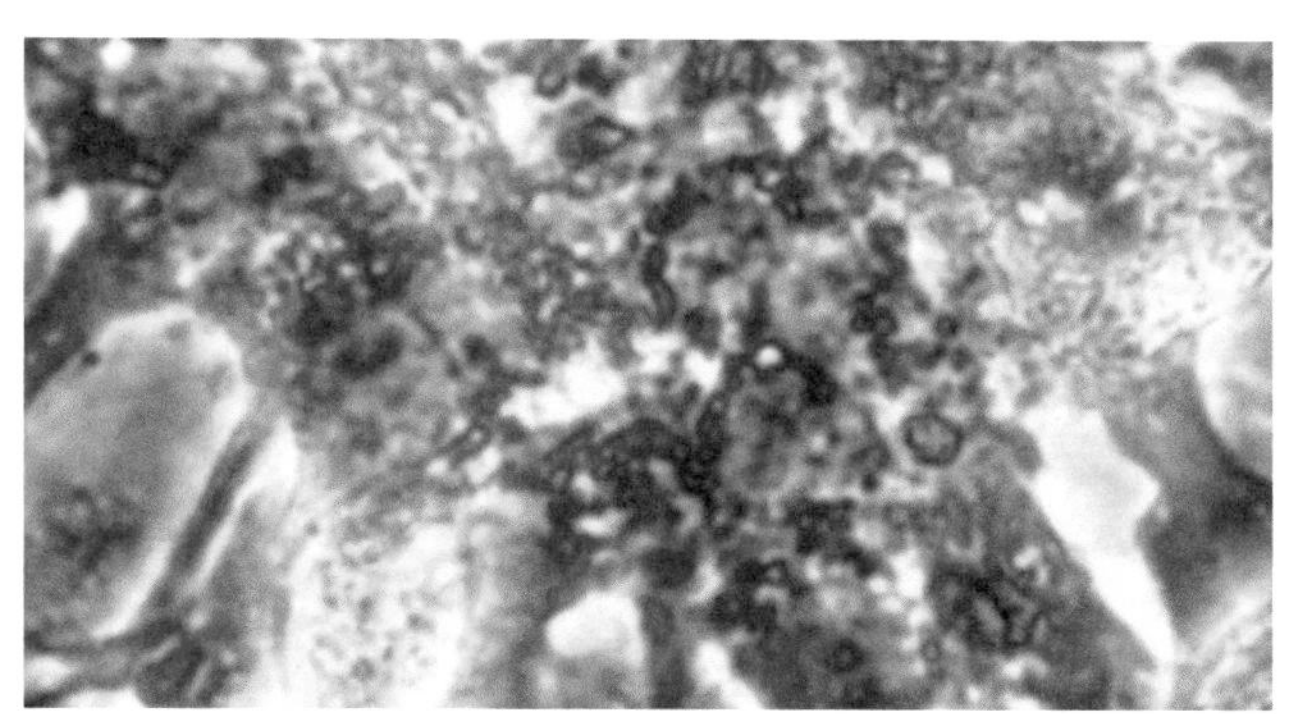

図46　BCL《Ghost in the Cell/Heartbeat》2019年　Video Loop of beating cardiomyocytes from Ghost in the Cell, 1 heartbeat/7 frames　© BCL

スト人間中心主義に対する先駆的なテーマを扱っていたことには、まったく驚きを禁じ得ません。

右記の『攻殻機動隊』とバーチャル・アイドルである初音ミク[27]（２００７年〜）に想を得て制作された作品が、ＢＣＬ[28]による《Ghost in the Cell》（２０１５年）（図46）です。彼らが、ｉＰＳ細胞[29]から作り出した心筋細胞に、初音ミクの身体的特徴（例えば、髪や瞳の色）を記したＤＮＡデータを組み込んだ同作品は、金沢21世紀美術館で開催された「Ghost in the Cell：細胞の中の幽霊」展（会期：２０１５年9月19日〜２０１６年3月21日）で公開され、非常に大きな話題を呼びました。

こうした作品は、前述の日本的アニミズムや「山川草木悉皆成仏」（草木や国土のごとく非情な存在も仏性を有し成仏する）といった考え方とも、決して無縁ではないでしょう。そもそもシンギュラリティ後の世界を、〝ユートピア〟か？　〝ディストピア〟か？　と考えた時にこそ、機械をも包含した多様性への寛容や他者との共生が現前化してくるといえます。

キリスト教に基づいた一神教的価値観が生んだ映画『ターミネーター』（１９８４年）では、機械が未来から人間殺戮マシーンを送り込んで来ることに対し、私たちの子孫は不甲斐ない先祖をサポートするため、猫型ロボット『ドラえもん』（１９６９年〜）を派遣するという思想を有しているからです。

このような考え方をもう少し推し進めた作品として、本項の最後で林千歩による《人工的な恋人と本当の愛 -Artificial Lover & True Love-》（２０１６／２０１９年）を挙げておきたいと思います（図47）。

陶芸教室を営むＡＩロボットである、「アンドロイド社長」との恋に落ちた人間女性をテーマにした同作品は、本格的な機械との共生時代を前にした私たちに様々な問題を問い質します。彼女の盗撮画像や下着を〝美しいもの〟としてコレクションするアンドロイド社長の行動からは、「機械と人間の間に生じる、〝善・悪〟に対する判断基準」の差異について深く考えさせられます（近年の研究により、人間が美を感じる脳の領域は眼窩前頭皮質および内側前

図47　林千歩《人工的な恋人と本当の愛 -Artificial Lover & True Love-》2016/2019年、ミクスト・メディア・インスタレーション，ビデオ：4分30秒　© Chiho Hayashi　「六本木クロッシング2019展：つないでみる」森美術館（東京）での展示風景　撮影：sakanaka takafumi

頭前野であり、善悪を識別するいわば良心の領域と重なるように存在していることが、明らかになりつつあります[*30]。女性用下着と共に執務室の壁を飾る《受胎告知図》は、性行為を伴わない「無原罪懐胎」や、映画『ブレードランナー２０４９』（２０１７年）に登場する、人間と生殖機能を持つレプリカントの間に生まれたアナ・ステリン博士の存在を思い起こさせます。

未来の作品を一緒に制作する

他にも、コロナ禍をきっかけに様々な取り組みが行われ、また、多様な作品が日々創造されています。

例えばその名が示す通り、通常のコマーシャル・ギャラリーとは異なる「無人島プロダクション」[*31]（東京）は、非常にユニークで多彩な活動を行っています。彼らはコロナ感染拡大下における、新しいアーティスト支援というよりむしろ共生に近いプロジェクト「Ge無stone」を、緊急事態宣言発令に際してスタートさせています。

同企画の意図をギャラリストである藤城里香は、「アーティストが世界や日常への鋭い観察（発掘）を日々行い、自身の深層にある原石を磨き上げ、この世に示した『宝石』のような表現を、ギャラリーにおける展覧会という形でプロモーションしてきました。今はそれができる状況ではありませんが、この機会に『宝石になる前の原石』を皆様にご提案できたら」と語っています。すなわち、今回の試みは、その名の通り宝石になる前の原石＝〝Gemstone〟を意味していたわけです。

中でも松田修（１９７９年～）による、「未来の作品を一緒に制作する」という実験的な取り組み《緊急時一日一約》（２０２０年）（図48）は中々に秀逸です。

参加者（購入者）は松田との「約束」をリストから一つ選び、緊急事態宣言が解除されるまで、お互いに毎日欠かさず履行するという共同作業（＝共同制作）を行うことになります。つまり〝不要不急の外出自粛〟を強いられる中で、〝不要不急の出来事〟を日々記録すると

図48　Ge 無 stone vol.2 松田修《緊急時一日一約》2020 年
© Osamu Matsuda
Courtesy of the artist and MUJIN-TO Production

いうアイロニカルな状態を創出するわけです。それは、リアルでは決して邂逅することのないアーティストと参加者が、日々繰り返される約束遂行を通じたノンバーバル・コミュニケーションによって、コロナ禍という特異な環境下における関係性構築を可視化していくものであるといえます。

ちなみに、実際に松田との間で交わされ、実行された約束は「一日一回自宅の食器にあだ名をつける」や、「一日一つずつ、緊急避難時に持ち出すものを撮影する（乾電池一つでもよい）」「一日一回昨日まで知らなかった海の生き物の名前を、調べて言う」などとなっています。最終的には、全ての《緊急時一日一約》を新たに編集し直した集大成的作品の制作も予定されているそうです。

コロナ流行による緊急事態宣言発令や外出自粛が

なければ、決して実現することがなかった同作品の公開が今から待たれます。

新しいエコロジー思想の体現

他方で、寒川裕人（かんがわゆうじん）（１９８９年〜）とザ・ユージーン・スタジオは、「資本新世」とも呼ばれる人新世下のポスト資本主義および、「ハイパーオブジェクト時代」を見据えた脱化石燃料社会に向けた試みを山形県鶴岡市で展開しています。

彼らは農業が従来の食糧生産のみならず、新たな素材産業や生活インフラを生み出す状態を、「農業革命３・０」すなわち第三次農業革命（図49）であると考えています。それは農作物が化学燃料（石油、天然ガスなど）と同等以上の役割・可能性を有していることに加え、食糧生産の充実と多様な食文化発展を同時に実現するからに他なりません。つまり、新しい農業都市の存在が、社会全体に大きな変革をもたらすと予想しているのです。

例えば、軽量で弾性と剛性に優れた航空機ボディーや義肢などの人工器官を開発・製造する場合、従来であればチタンのような特殊金属や、炭素繊維強化プラスチックといった化学燃料由来の素材が使用されてきました。それらは、その生成・製造過程において、CO_2や

図49　ザ・ユージーン・スタジオ《新・農業都市のイメージ》2012年　Drawing of “IRON NATURE” & “Agricultural Revolution 3.0”, 2012　© Eugene Kangawa 2012

有害物質を排出するなど高い環境負荷を生んでいます。

こうした既存素材が有する問題点を、自然界に存在する代替機能やバイオテクノロジーの活用によって解決することができれば、地球に対する負荷や資源ビジネスが生む経済格差の軽減に大きく貢献するはずです。

様々な取り組みの中で、新・農業都市構想を支えるバイオテクノロジー分野の中核企業・スパイバー株式会社は、すでに人工クモ糸繊維と呼ばれる構造タンパク質の開発に成功。さらには、同素材を使用したアウターウェアの生産・一般販売にまで着手しています。[*32] 寒川裕人とザ・ユージーン・スタジオの活動は脱東京一極集中を促し、前述した新しいエコロジー思想を体現したものといえるでしょう。

黒い絵

今やその活躍はアート界に収まり切らず、「世界で最も影響力のある100人」（2016年、米国・タイム誌）にまで選ばれた草間彌生。彼女の個展が2020年9月6日から、上海の大田秀則画廊（オオタファインアーツ上海）で開催されています。

その「YAYOI KUSAMA：RECENT PAINTINGS（草間彌生：新作絵画）」展（会期：2020年9月6日〜10月24日）で展示されている15点は、すべて黒色のみで描かれています（図50）。元々《わが永遠の魂》シリーズの系譜にある作品群が、ある時期、なぜ色を失ったのかはわかりません。

しかし、コロナ禍によりさらに高まる各国のナショナリズムや、〝米中貿易戦争〟に留まらない新冷戦時代到来などに起因する不穏な空気が、カラフルな色彩を用いてきた彼女を漆黒に向かわせたことだけは間違いないでしょう。

日本において〝黒〟は喪を連想させますが、中国では黒社会（マフィア、暴力団）、黒金政

図50　大田秀則画廊（上海）での「YAYOI KUSAMA：RECENT PAINTINGS」展示風景　Installation view: "Yayoi Kusama: Recent Paintings", 2020, Ota Fine Arts Shanghai, Courtesy of Ota Fine Arts, Photography by Zhang Hong

治（腐敗政治）といった用語に代表されるように不法、邪悪といった意味を有しています。[*33]

果たして草間が作品に込めた思いとは、COVID-19犠牲者への鎮魂歌でしょうか？　それともパンデミックが社会にもたらした凶事の数々でしょうか？

ターニング・ポイント

以上のように、アーティストやクリエーターたちが、人新世における最初の転換点＝コロナ禍といかに対峙してきたかを紹介しました。賢明な読者の皆さんなら、多くのアーティストがたとえ直接的にパンデミックを描いていなくとも、時代の大きなターニング・ポイントを予測していたかのような作品を創作していることに気づかれたものと思います。

まさに、先駆的なメディア研究で知られるマーシャル・マクルーハン[*34]（Herbert Marshall McLuhan, 1911〜1980年）が「芸術は、社会の『早期危機発見装置』である。そのおかげでわれわれは、社会的、精神的危険の兆候をいち早く発見でき、余裕をもってそれに対処する準備をすることが出来るのである[*35]」と唱えていた通りの展開となっています（余裕をもって、対処準備できているかどうかは別ですが）。

さて、多くのメディア・アート（やサブ・カルチャー）は、従来と異なりギャラリーや美術館で鑑賞する作品ばかりではなく、CMやゲームを発表媒体にしているケースが増えています。したがって、出演アーティストやタレントとの契約上、たった1クール（広告、マスメディアの場合は概ね3ヶ月）でテレビ画面はおろか、企業の公式Webサイトからも消えてしまう作品が少なくありません。現在、大英博物館やボストン美術館をはじめ、世界のメジャー・ミュージアムに収蔵されている浮世絵も、制作された当初は役者のブロマイドであり、チラシやポスターとしての機能をともなった広告・宣伝物でした。

こうした優れた商業芸術（表現）やエンターテインメントについて、肖像権などをクリアにした閲覧可能な状態で後の世に伝えていかなければ、将来、日本美術史に空白の時代を作ってしまうことにもなりかねません。第1章でご紹介した、厄災を笑い飛ばす浮世絵のような広義のアート作品を遺せるか否かは、私たち自身の手に委ねられているといえます。

＊　＊　＊

人類は紀元前から現在に至るまで、様々な疫病に悩まされ続けてきました。そして、時代を代表する芸術家たちは、その時々に厄災やそれらが炙り出す不条理、欲望、さらには「メメント・モリ（死を想え）」に代表されるような警句を、絵画や物語として描出してきたのです。

それらを今、改めて眺めれば、コロナ禍で右往左往する私たちと驚くほど多くの共通点を有していることに気づかされます。そして何より、何百年経っても変わらぬ人間の愚かさを恥ずかしく思い、また苦々しく感じたのではないでしょうか。

加えて、自粛警察や医療従事者に対する誹謗中傷、さらにはマスクの高額転売などのやるせない出来事と接すれば、浮世絵が映し出す江戸っ子たちの粋な気風や、諧謔の精神に対する憧憬の念を抱かざるを得ないでしょう。

同時に、ハイパーオブジェクトの時代をいかに生き抜くべきか？　また、本格的な機械との共生時代を前に、従来の人間中心主義を見直し、多様性を寛容していくには何が必要なのか？　など様々な作品が発する問いを、今回のコロナ禍をきっかけに今一度考え直してみなければなりません。

他方、アート市場を巡る動向は、コロナ禍に伴う未曾有の経済危機によって短期的には、縮小傾向に陥ることは否めないでしょう。しかし、保有資産総額で全世界の45パーセント以上を占有する、わずか１パーセントに満たないビリオネアにとって、アート作品は時代を超えて唯一無二な存在であり続けるはずです。

なぜなら、時に数億円から数百億円の価値を有する金融資産でありながら、成功の記号にして権力を象徴するパワーを有しているからです。たとえ感染拡大の影響で資産を減じたり失ったりする富裕層が現れても、好調を極める業種やサービスで巨万の富を得た新しいプレイヤーに、そのポジションが取って代わられるだけでしょう。

そして、評価の確立されたアーティストによる高額作品は、こうした状況下であっても確実に価格上昇傾向にあります。また、オンラインを中心とした新しい市場では、趣味性の高い廉価な作品を中心に活発な取引が行われています。さらに、利便性と低廉な手数料を備えた新しい決済手段が、こうしたビジネスをますます活性化させていくものと思われます。
世界の金融センターとして不動の地位を占めるニューヨークとロンドンは、コロナ流行にもブレグジットにも決して揺らぐことはないでしょう。一方で米中貿易戦争や中国の対外政策、そして国家安全法施行に踏み切った香港は、中・長期的にはシンガポールや台北などと、アジア№1アート市場の座を争うことになるかもしれません。当面メジャー・オークションハウスは、この3都市でのメイン・セールを開催し続けるはずです。もちろん、中国系のプレイヤーは、従来以上に香港での活動に力を入れていくことが予想されます。

人類がラスコー洞窟の壁面に、生命賛歌あるいは人知を超えた何ものかに対する祈りを描いて以来、アートは人類の叡知を結晶化した文化遺産として常に珍重され貴ばれてきました。また、ほぼ時期を同じくして物々交換の対象となり、後には貨幣で取引されるようになります。さらに12世紀後半に板絵が生まれ、壁から独立したタブロー（絵画）＝動産としての美術品になるや、徐々に金融商品としての性質を帯び始めてきたのです。現在では500億円を超えるダ・ヴィンチ作品（64ページ）のように資産運用や投機対象へと、その存在を変容させています。私たちの歴史は、「疫病との戦い」そして「芸術・文化の創造」と、それらを巡る「経済活動」からは切っても切り離せません。

21世紀の発達した医療技術や極めて衛生的な生活環境下でも、感染蔓延によって人類を恐怖のどん底に陥れたCOVID‐19。しかし、どれほど恐ろしい疫病であっても、他からは得難い大いなる感動を与えるアート作品や、それを求めるアート市場の情熱や欲望を殺すことはできないでしょう。

この先の状況がウィズ・コロナであっても、脅威が過ぎ去った後のポスト・コロナ時代が訪れようとも、「アートは死なず」とだけ申し上げて、筆を擱きたいと思います。

おわりに

２０２０年1月中旬以降、国内におけるコロナウイルス感染拡大に関するニュースが、一気に増えはじめました。緊急事態宣言（一都三県では4月7日～5月25日）を経て、今や好むと好まざるとにかかわらず、私たちはウィズ・コロナの毎日を送らざるを得ない状況となっています。

ヨーロッパだけでも、人口の3分の1から3分の2にあたる約２０００万～３０００万人が亡くなった14世紀のペスト大流行ほどではないにしろ（累計感染者は２３００万人超、死亡者は82万人に迫る勢いです。２０２０年8月25日現在）、国家や資本主義の在り方から働き方、学習環境まで、あらゆる社会システムが今や激変しています。米中貿易戦争や香港における国家安全法施行による〝新冷戦時代の到来〟や、ドイツの「ベーシック・インカム（国家による必要最低限の現金定期支給制度）」実証実験開始、テレワーク並びに遠隔授業の普及は、その証左といえるでしょう。

これらが〝ニューノーマル≒コロナ感染下／後の新しい生活様式〟として定着するかどうかは、ワクチンや治療薬の開発、あるいは集団免疫効果次第のところがあります。ただし、もはやビフォー・コロナの価値観や生活スタイルに戻ることはないと思われます。

アート界を代表するキー・プレイヤーたちの言動に限らず、私自身の業務である大学運営や日常生活で実感したことは、「コロナはすべてを露わにするパワーを有している」という点でした。現在はすべてを〝コロナのせい〟にできますが、今後は激しい変化についていけない〝モノ〟〝コト〟そして〝ヒト〟は徐々に淘汰されていくでしょう。

ウィズ／ポスト・コロナのアートについて、本書が辿り着いた結論は、第3章のタイトルにもなっている「アートは死なず」でした。一見、感染拡大前と何も変わっていないように見えますが、プレイヤーの顔ぶれは常に入れ替わっています。きらびやかなアートの世界は、その見た目とは裏腹に、変化の兆候にいち早く気づき積極的に対応した者しか、ポジションを堅持できない弱肉強食の世界です。オンライン・セールで億単位の商談をまとめ、自ら主催者としてバーチャル・フェアを組織するメガ・ギャラリーの姿勢に、その一端を垣間見られたのではないでしょうか。

巷間よくいわれる「最も強い者が生き残るのではなく、最も賢い者が生き延びるのでもない。唯一生き残ることができるのは、変化できる者である」という〝適者生存〟の法則こそが、これからの時代において、アート界に限らずあらゆる領域でますます重要になってくるものと考えています。

＊　＊　＊

本書については刊行のタイミングこそが重要と考え、アイディアを思い付いてからおよそ2ヶ月間で書き上げました。加えて、年々厳しくなる著作権問題に対しては、限られた時間の中で多くの画像に関する掲載許諾を得なければなりませんでした。

こうして無事一冊の本にまとめることができたのも、ご担当いただいた光文社・小松現さんのお陰と心より感謝しております。

最後に、いつも私を支えてくれている妻に、本書を捧げたいと思います。

宮津大輔

2020年8月

註釈

【はじめに】

＊1　パウル・クルッツェン（Paul Jozef Crutzen, １９３３年〜）によって考案された、人類が地球の生態系や気候に大きな影響を及ぼすようになった時代区分、つまり「人類（中心）の時代」を表す言葉です。

＊2　左記を参考にしています。
「仏、15日間外出制限　新型コロナ対策で『戦争状態』」日本経済新聞、２０２０年3月17日
https://www.nikkei.com/article/DGXMZO56873790X10C20A3000000/（２０２０年7月17日閲覧）

＊3　左記を参考にし、一部引用しています。
「新型コロナは『敵』ではない。哲学者が説くウイルスとの『共生』」Forbes JAPAN、２０２０年４月18日
https://forbesjapan.com/articles/detail/33797（２０２０年7月17日閲覧）

【第1章】

＊1　正式には、「私は『帝衣は最高の死装束である』という古の言葉が正しいと思います」といって諭したようです。

＊2　左記を参考にし、一部引用しています。

＊3　ジョン・ケリー『黒死病 ペストの中世史』野中邦子訳、中央公論新社、２００８年

＊4　ラテン語の Memento mori で、当初は古代ローマ時代の詩人・ホラティウス（Quintus Horatius Flaccus, 紀元前65年～紀元前8年）の詩に記された『カルペ・ディエム（Carpe diem）』＝今、この瞬間を楽しめ」と同様の意味を有していました。しかしキリスト教では、現世での成功や快楽が空虚であることを表しています。

＊5　南ドイツのアウクスブルクに生まれ、後にイングランドで活動したルネサンス期の画家です。アナモルフォーシス（歪んだ画像を円筒に投影したり、角度を変えたりして見せる技法）を用いた《大使たち》（１５３３年）などの肖像画が有名。

＊6　左記から引用しています。
ジョヴァンニ・ボッカッチョ『デカメロン・上』平川祐弘訳、河出書房新社（河出文庫）、２０１７年、17～18ページ

＊7　２０１７年11月15日にクリスティーズ・ニューヨークの競売にかけられ、４億５０３１万２５００米ドル（手数料込、当時の為替レートでおよそ５０８億円）で落札されました。

＊8　１８９４年香港で、フランス・パスツール研究所の細菌学者であるアレクサンドル・イェルサン（Alexandre Yersin, １８６３～１９４３年）と、「日本細菌学の父」と謳われる北里柴三郎（１８５３～１９３１年）によって、ほぼ同時にペストの原因菌が突き止められました。
しかし、北里が日本に持ち帰った菌は、性質の一部がイェルサンらのものと違っていたため発見に疑義が唱えられ、学名は「イェルシニア・ペスティス」と名付けられてしまいます。１９７６年米国の研究者が当時の膨大な論文や記録、研究環境などを精査の上、徹底的な分析を行った結果、遂に北里の発見が認められたのです。発見から名誉回復まで、82年間という途方もない時間を要しています。

＊9　１６６６年にプリズム実験を行い、同じ屈折率の光には同じ色が属していることを発見しました。落ちるリンゴからヒントを得たニュートンは、「慣性の法則」「加速度の法則」「作用・反作用の法則」

という3つの運動法則を発見しています。

なおニュートンの生涯、業績などについては、左記を参考にしています。

島尾永康『ニュートン』岩波書店（岩波新書）、１９７９年

*10 教育（Education）×技術（Technology）による造語で、ＩＣＴを活用したイノベーティブな教育手法、ビジネス、サービスなどの総称として広く利用されています。ちなみに類似用語であるｅラーニング（e-Learning）は、インターネットを利用した学習（法）、機材、教材、システムを表します。

*11 生涯にわたって、教育と就労を交互に繰り返す（あるいは働きながら学ぶ）ことによって、様々なスキルや教養を高め続ける生涯教育制度です。

*12 中世ヨーロッパでは、麦角菌に汚染されたライ麦パンを食しての中毒騒ぎが、頻繁に起こっていました。聖アントニウス会修道士は、この麦角中毒（血のめぐりが悪くなり、重症化すると手足の壊死に至ります）に対する治療術に優れていることから、同症は「聖アントニウスの火（に焼かれる病）」と呼ばれていました。以上の点から、図中の男性は、麦角中毒患者であるという説も有力です。『三つの教会と三人のプリミティフ派画家』では、麦角中毒と断じていますが、他に梅毒やハンセン病という解釈もあるようです。なお、同中毒による壊疽で、両足を失った物乞いの姿をピーテル・ブリューゲル父が代表作《謝肉祭と四旬節の戦い》（１５５９年）の中で描いています。また、聖アントニウスは、ペストや麦角中毒、丹毒（連鎖球菌の感染によって起こる化膿性炎症）を治癒する聖者としても信仰されていました。

右記については、井上達志「エンドファイト感染草摂取による中毒症に関する研究」、公立大学法人宮城大学を参考にし、一部引用しています。

https://www.myu.ac.jp/teacher/food/inoueta/labo/（２０２０年6月10日閲覧）

また、《イーゼンハイムの祭壇画》については、左記を参考にしています。

『芸術新潮』２０１５年8月号、新潮社、２０１５年（特集：史上最強の宗教画はこれだ！　謎の巨

匠グリューネヴァルト)

＊13 『黄金伝説』（ジェノヴァ大司教であるヤコブス・デ・ウォラギネ：Jacobus de Voragine, 1230年頃〜1298年）によるキリスト教の聖人伝集によれば、グンブルト王（Grimoald, 610〜671年）時代（治世：662〜671年）のロンバルド（ランゴバルド王国）を黒死病が襲った際に、パヴィア（ミラノの南に位置する同国都）地方の聖ペテロ教会が聖セバスティアヌスの祭壇を建立したことにより感染拡大が止んだことから、聖セバスティアヌスは黒死病に対する守護神であると信じられています。
右記については、ヤコブス・デ・ウォラギネ『黄金伝説 1』前田敬作、今村孝訳、平凡社、2006年の第23章「聖セバスティアヌス」、287ページを参考にしています。

＊14 1524年に南ドイツから起こり、ドイツ全域に波及した大規模な農民反乱です。乱を主導した宗教改革者トマス・ミュンツァー（Thomas Muntzer, 1489〜1525年）は、当初マルティン・ルター（Martin Luther, 1483〜1546年）の宗教改革を支持、教会の腐敗を批判していました。そのうち、教会批判に留まらず、封建領主による農民搾取からの救済を目指して「農民の十二箇条要求」を掲げ、領主や教会などの封建諸侯と戦いました。反乱者に対する諸侯の懲罰は過酷を極め、約10万人の農民が命を落としたといわれています。
右記については、エンゲルス『ドイツ農民戦争』大内力訳、岩波書店（岩波文庫）、1950年を参考にしています。

＊15 バロック期に活躍したフランドル出身の画家で、ピーテル・パウル・ルーベンス（Peter Paul Rubens, 1577〜1640年）に学んだ後、イングランド国王チャールズ1世の主席宮廷画家として活躍しました。

＊16 ブリューゲル・ファミリーの作品と人物については、左記を参考にしています。
森洋子『ブリューゲル探訪 民衆文化のエネルギー』未來社、2008年

＊17 森洋子『ブリューゲルの世界』新潮社、２０１７年

＊18 天台宗、真言宗、浄土宗、浄土真宗本願寺派、浄土真宗大谷派、臨済宗、曹洞宗、日蓮宗の主要八宗派に禅宗を加えたものです。あるいは、三論宗、成実宗、法相宗、倶舎宗、華厳宗、律宗の南都六宗に、天台宗、真言宗の平安二宗を加え八宗といい、更に禅宗を加えて九宗とします。後者は、左記から引用しています。
浄土真宗教学研究所 浄土真宗聖典編纂委員会編『浄土真宗聖典 七祖篇（註釈版）』本願寺出版社、１９９６年

＊19 ギリシア神話に登場する、ライオンの頭とヤギの胴、蛇の尾を持ち、口から火を吐く怪物。

＊20 左記を参考にし、一部引用しています。
福井新聞「明治時代のコレラ流行どう終息させた 集会のほか水泳や古着売買も禁止に」２０２０年５月７日
https://www.fukuishimbun.co.jp/articles/-/1081372（２０２０年6月10日閲覧）

＊21 ラテン語で空虚や虚栄を意味します。静物画を構成するモチーフは、時計や髑髏、蝋燭が人生の短さを、花や果物、シャボン玉は現世の儚さを象徴し、楽器は刹那の隠喩として描かれています。

＊22 緊急事態宣言時に営業自粛などの要請に応じない個人や店舗に対し、私的な取り締まりを行う一般市民を指しています。

＊23 沼野元昌『コレラ医玄昌・沼野家の記録』共栄書房、１９７８年を参考にしています。
時事ドットコムニュース「カミュの『ペスト』１００万部突破　新潮文庫、新型コロナで世界的関心」、２０２０年04月08日を参考にし、一部引用しています。
https://www.jiji.com/jc/article?k=2020040800979&g=soc（２０２０年6月10日閲覧）

＊24 左記を参考にし、一部引用しています。
猪又俊樹「『ペスト』と共同体」『一橋研究』33（2）、一橋大学大学院学生会、２００８年、65〜78

ページ
NHK「100分de名著・77・カミュ『ペスト』」
https://www.nhk.or.jp/meicho/famousbook/77_camus/index.html（2020年6月11日閲覧）
ペストがナチズムの隠喩であるという解釈は、絶対的なものではありません。猪又俊樹による論考では、むしろ否定的な見解が導き出されています。

*25 左記から引用しています。
アルベール・カミュ『ペスト』宮崎嶺雄訳、新潮社（新潮文庫）、1969年、458ページ

*26 左記を参考にし、一部引用しています。
美術手帖「バンクシーも自宅で仕事中？ 新作をInstagramで公開。『妻が嫌がる』」、2020年4月16日
https://bijutsutecho.com/magazine/news/headline/21717
CNN.co.jp「バンクシーも『在宅勤務』、自宅に描いた作品披露」2020年4月17日
https://www.cnn.co.jp/style/arts/35152533.html（いずれも2020年6月12日閲覧）

*27 2018年10月5日サザビーズ・ロンドンでバンクシーの《風船と少女》が競売にかけられ、約1億5000万円で落札された瞬間に、額縁に仕掛けられたシュレッダー装置が作動して、作品が裁断されるという事態が起こりました。その後、同作品は《愛はゴミ箱の中に》（2018年）と名付けられました。

*28 バンクシーについては、左記を参考にし、一部引用しています。
毛利嘉孝『バンクシー アート・テロリスト』光文社（光文社新書）、2019年

*29 左記を参考にし、一部引用しています。
鈴木沓子「バンクシーはなぜ『医療従事者への感謝』を風刺画に仕立てたのか？ パンデミックの表現とストリートの作法」、美術手帖、2020年5月11日

＊30 https://bijutsutecho.com/magazine/insight/21875（2020年6月12日閲覧）COVID‐19国別累計罹患者、死亡者の順で、米国：203万1173人、11万4065人、英国：29万2950人、4万1481人（2020年6月13日時点）。AFP BB NEWS「新型コロナウイルス、現在の感染者・死者数（2020年6月13日・午前4時時点）42・2万人に」https://www.afpbb.com/articles/-/3288094（2020年6月13日閲覧）

＊31 詳しくは拙著『現代アート経済学Ⅱ　脱石油・AI・仮想通貨時代のアート』ウェイツ、2020年、253ページを参照下さい。

＊32 中国の習近平総書記によって提唱された経済圏構想で、具体的には「シルクロード経済ベルト」と「21世紀海洋シルクロード」を指します。アジアインフラ投資銀行などによるインフラ投資を拡大するだけでなく、中国から発展途上国への経済援助を通じた人民元の国際準備通貨化や、中国を中心とした世界経済圏の確立を目指しているといわれています。現在では、高利な融資に加え、財政健全および透明性といったガバナンス並びにコンプライアンス欠如のため、莫大な債務を負わされた途上国に対する、中国（国営企業）の土地占有（モルディブの島々）や港湾長期貸与（スリランカ第3位ハンバントタ港の99年間権利貸与）などが大きな問題となっています。

＊33 中国本土では2015年7月1日に施行された法律であり、同法における国家安全とは「国家政権、主権、統一および領土保全、人民の福祉、経済社会の持続可能な発展、その他の国家の重大な利益に危険がなく、内外の脅威に侵されない状態」と定義されています。その上で、「売国、国家分裂、扇動反乱、政権の転覆および転覆を扇動するあらゆる行為、国家機密の窃取および漏えい、国外勢力による浸透・破壊・転覆・分裂活動を、防止・制止・処罰する」と規定しています。香港への適用によって、言論の自由や政府に対する抗議行動などが弾圧され、出版やインターネットなど言論への規制も強まることが予想されます。

右記については、しんぶん赤旗電子版「なんだっけ国家安全法って?」２０２０年5月31日を参考にし、一部引用しています。

＊34 https://www.jcp.or.jp/akahata/aik20/2020-05-31/2020053103_02_0.html（２０２０年6月13日閲覧）

幼い頃からコンピューターに興味を示し、12歳からPerl（プログラミング言語）を学びはじめました。14歳で学校生活に馴染めず中学を中退、以後は独力で学び続けます。19歳の時に、米国シリコンバレーでソフトウェア会社を起業。以降、数々のフリー・ソフトウェアの国際化や地域化に対する貢献や、オープン・ソースに関する書籍の繁体字中国語翻訳を行っています。

＊35 ２０１６年８月台湾史上最年少の35歳で、政務委員に任命されています。

２０１９年5月17日台湾立法院は、同性結婚の合法化法案を66対27の賛成多数で可決しました。アジアで同性結婚が認められたのは初めてのことであり、5月24日に婚姻届の受付が開始されると、１日でおよそ３００組のカップルが手続きを行ったといわれています。

＊36 左記を参考にし、一部引用しています。

李琴峰「台湾のコロナ対策を賞賛する、日本の人たちに知ってほしいこと」現代ビジネス、２０２０年５月17日

https://gendai.ismedia.jp/articles/-/72616

仲本正尚「【台湾に学ぶコロナ対策・上】ＳＡＲＳ経験から法整備　情報を集積、解決向けＩＴ駆使」琉球新報、２０２０年5月24日

https://ryukyushimpo.jp/news/entry-1126847.html

仲本正尚「【台湾に学ぶコロナ対策・下】社会全体に危機意識高く　武漢封鎖以前に司令塔設置」琉球新報、２０２０年5月24日

同 /entry-1127243.html（いずれも２０２０年6月13日閲覧）

＊37 本節では左記を参考し、一部を引用しています。

ＩＤＳＣ国立感染症研究所 感染症疫学センター「コロナウイルスに関する解説及び中国湖北省武漢市等で報告されている新型コロナウイルスに関連する情報」
https://www.niid.go.jp/niid/ja/from-idsc/2482-corona/9305-corona.html
三尾幸吉郎「新型コロナと日本の対策―中国での新型コロナ対策は参考になるのか?」『基礎研REPORT』、５月号、vol.278、２０２０年
https://www.nli-research.co.jp/report/detail/id=64303?site=nli
外務省 海外安全ホームページ「各国・地域における新型コロナウイルスの感染状況」
https://www.anzen.mofa.go.jp/covid19/country_count.html
菅谷憲夫「日本の新型コロナ対策は成功したと言えるのか―日本の死亡者数はアジアで２番目に多い」Web 医事新報、２０２０年5月30日
https://www.jmedj.co.jp/journal/paper/detail.php?id=14724（いずれも２０２０年6月13日閲覧）

＊38 コロナ禍の外出自粛などによって収益に甚大な影響が現れた観光、運輸・交通、飲食、イベントなどへの需要を喚起する政策です。新型コロナウイルス対策の補正予算に盛り込まれており、事業総額は１兆６７９４億円に上ります。中でも最も予算規模が大きいのが、国内旅行を対象に１兆３５００億円を充てた「Go To トラベルキャンペーン」です。

【第2章】

＊1 左記を参考にし、一部引用しています。
The Art Basel and UBS Global Art Market Report 2020
また、日本円換算は2019年平均為替レート1ドル＝109・0097円で換算しています。

＊2 左記を参考にしています。
CIA THE WORLD FACT BOOK
2016年のニュージーランド国家予算：67610百万ドル（歳入）、67010百万ドル（歳出）

＊3 左記を参考にし、一部引用しています。
柳田健介「新型コロナパンデミックと世界経済への影響分析」公益財団法人 日本国際問題研究所レポート、2020年4月9日
https://www.jiia.or.jp/column/new-corona-pandemic-and-impact-on-the-global-economy.html（2020年6月20日閲覧）

＊4 中国と産油国のアート市場に対する大きな影響力と、その背景については左記をご覧下さい。
前掲『現代アート経済学Ⅱ 脱石油・AI・仮想通貨時代のアート』
第1章 金融商品としてのアート、13～45ページ
第2章 中国巨大アート市場─桁外れのコレクターたち、48～81ページ
第3章 産油国ロイヤル・ファミリーが見据える脱石油後の世界、84～102ページ

＊5 左記から、引用しています。
特別編集レポート『データから見る日本のアート市場～日本のアート産業に関する市場調査2019より～』一般社団法人アート東京、2020年

＊6 TIANWEI ZHANG, 訳：井口恭子「『エルメス』、中国で移転オープンした店の売り上げが1日で2

億8000万円！ 新型コロナ禍をものともせず」WWDジャパン、2020年4月14日
https://www.wwdjapan.com/articles/1070143（2020年6月22日閲覧）

＊7 左記を参考にし、一部引用しています。
「米国、失業者2600万人超に 52兆円の追加経済対策、成立へ」AFP BB NEWS、2020年4月24日
https://www.afpbb.com/articles/-/3280078?cx_part=related_yahoo（2020年6月22日閲覧）

＊8 「トランプ氏、中国に損害賠償請求の可能性を示唆 新型コロナ」AFP BB NEWS、2020年4月28日
https://www.afpbb.com/articles/-/3280704（2020年6月22日閲覧）

＊9 左記を参考にし、一部引用しています。
「トランプ米政権、太陽光パネルと洗濯機にセーフガード発動」CNN.co.jp, 2018年1月23日
https://www.cnn.co.jp/business/35113556.html
「中国、米製品128品目に報復関税発動」CNN.co.jp, 2018年4月2日
https://www.cnn.co.jp/business/35117067.html（いずれも、2020年6月22日閲覧）

＊10 ①高速大容量（10Gbps）、②多数同時接続（1箇所の基地局と接続可能な端末機器が現在の10～100倍）、③高信頼低遅延（1ms＝0・001秒未満）、④低コストの特徴を備えた第5世代移動通信システムです。

＊11 左記を参考にしています。
Andrew Duehren「貿易紛争に巻き込まれる中国の美術品取引 古美術品や現代絵画、25%の米関税に直面する可能性も」THE WALL STREET JOURNAL 日本版、2018年9月3日
https://jp.wsj.com/articles/SB1278985445362770372270458448693951936068（2020年6月22日閲覧）

*12 左記を参考にし、一部引用しています。
Laura Chesters, Noelle McElhatton「US tariffs on Chinese art widened to include books and increased to 15%」, ANTIQUES TRADE gazette. THE ART MARKET WEEKLY, 2019年9月2日

*13 ウェスト・テキサス・インターミディエイト（West Texas Intermediate）とは、米国南部のテキサス州並びにニューメキシコ州を中心に産出される原油の総称です。同国で産出される原油の約6パーセントを占めています。欧州産の北海ブレンド原油先物、中東産ドバイ原油スポット価格と併せ世界3大原油指標と呼ばれています。

*14 左記を参考にし、一部引用しています。
「NY原油先物、史上初のマイナス　コロナで供給過剰に」、朝日新聞デジタル、2020年4月21日
https://www.asahi.com/articles/ASN4P1T6PN4PUHBI002.html（2020年6月22日閲覧）

*15 左記を参考にし、一部引用しています。
一般社団法人 エネルギー情報センター 新電力ネット運営事務局「世界的に原油価格が急落し、金融危機の懸念の声も」、新電力ネット、2020年5月19日
https://pps-net.org/column/82311（2020年6月22日閲覧）

*16 ①逃亡犯条例改正案の完全撤回（2019年10月23日に正式撤回）、②普通選挙の実現、③独立調査委員会の設置、④逮捕されたデモ参加者の逮捕取り下げ、⑤民主化デモを暴動とした認定の取り消しの5つから成ります。

*17 左記を参考にし、一部引用しています。
藤本欣也「【緯度経度】香港200万人デモの衝撃」産経新聞、2019年6月18日
https://www.sankei.com/world/news/190618/wor1906180004-n2.html（2020年6月26日閲覧）

*18 左記を参考にし、一部引用しています。

「香港、無許可デモ続く　空港入り口を封鎖」日本経済新聞、２０１９年９月１日
https://www.nikkei.com/article/DGXMZO49277890R00C19A9FF8000/（２０２０年６月26日閲覧）

＊19　１９００年パリ万国博覧会のために建てられた、国立グラン・パレ美術館と科学技術博物館を併設した大規模展示会場です。

＊20　パリ７区の公園で、１８６７年の第2回パリ万国博覧会から１９３７年まで、計5回の万国博覧会がここで開催されました。

【第３章】

＊1　左記を参考にし、一部引用しています。
「Netflix の２０２０年第１四半期における新規加入者数は予測を大幅に上回る１５７７万人」
TechCrunch Japan、２０２０年４月22日
https://jp.techcrunch.com/2020/04/22/2020-04-21-neflix-q1-earnings/（２０２０年６月26日閲覧）

＊2　左記を参考にし、一部引用しています。
「Disney+ の有料会員数が半年を待たずに５０００万人を突破」TechCrunch Japan, ２０２０年４月9日
https://jp.techcrunch.com/2020/04/09/2020-04-08-disney-has-more-than- 50m-subscribers/（２０２０年６月26日閲覧）

＊3　左記を参考にし、一部引用しています。
「『給料もらい過ぎ』批判のディズニーＣＥＯ、２０１９年は大幅な減給に」、Forbes Japan, ２０２０年１月20日

https://forbesjapan.com/articles/detail/31864（２０２０年６月26日閲覧）

＊４　左記を参考にし、一部引用しています。
Dana Mattioli「アマゾン大幅増収、コスト増で利益は予想届かず」THE WALL STREET JOURNAL日本版、２０２０年５月１日
https://jp.wsj.com/articles/SB12426073919113924292104586356273345972388（２０２０年６月27日閲覧）

＊５　左記を参考にし、一部引用しています。
Larry Dignan「Zoomの第１四半期決算、売上高１６９％増―利用急増で躍進」ZDNet Japan, ２０２０年６月３日
https://japan.zdnet.com/article/35154731/（２０２０年６月27日閲覧）

＊６　アマゾン ウェブ サービス（ＡＷＳ）とオラクル・クラウドは、それぞれ両社のクラウド・コンピューティング・サービスの総称です。同サービスでは、インターネットを介して仮想サーバ、ストレージ、データベースなど様々な機能を利用することが可能です。手元にコンピュータとインターネット接続環境さえ用意できれば、大規模な初期投資を行うことなく、サーバや大容量ストレージなどを必要な分だけ使い、(使った分だけ) 従量課金制によって支払う仕組みです。

＊７　左記を参考にし、一部引用しています。
安田洋祐「資本主義は人びとを幸せにしているのか?」南條史生、アカデミーヒルズ編『人は明日どう生きるのか　未来像の更新』、ＮＴＴ出版、２０２０年、１７４～１７７ページ

＊８　左記を参考にし、一部引用しています。
ビジネス特集「飛ぶように売れる豪華クルーザー～コロナが映し出す格差」ＮＨＫ、２０２０年８月12日
https://www3.nhk.or.jp/news/html/20200812/k10012563581000.html（２０２０年８月12日閲覧）

＊9　Art Market.com が算出・設定した、価格面に重点を置いた優良アーティストによって構成されたアート市場動向指標です。

＊10　Standard & Poor's 500 Stock Index（正式名称）は、S&Pダウ・ジョーンズ・インデックスが算出・設定している米国の代表的株価指数。NYSE（ニューヨーク証券取引所）、NYSE MKT（旧・アメリカン証券取引所）、NASDAQ（世界最大の新興企業向け証券取引所）に上場している株式から、代表的な500銘柄の株価を基に算出される、時価総額加重平均型株価指数です。

＊11　左記を参考にし、一部引用しています。
「米大統領選挙の見通しと米市場への影響」三井住友DSアセットマネジメント マーケットレポート、2020年2月14日
https://www.smam-jp.com/market/report/focus/usa/focus200214us.html（2020年7月1日閲覧）

＊12　パブロ・ピカソ（Pablo Picasso，1881～1973年）が、ハーレムの女性たちを描いたドラクロワ（Ferdinand Victor Eugene Delacroix，1798～1863年）による《アルジェの女たち》に対するオマージュとして1954～1955年に描いた作品です。2015年5月11日にクリスティーズ・ニューヨークで競売にかけられ、1億7900万ドル（約215億円）で落札されました。この金額は第2章でご紹介した、レオナルド・ダ・ヴィンチの《サルバドール・ムンディ（世界の救世主）》が、4億5031万2500ドル（約508億円）で落札されるまで、オークション史上最高落札価格でした。

＊13　左記を参考にし、一部引用しています。
Kelly Crow「High-end art sales suffer global slump」，Market Watch，2016年7月20日
https://www.marketwatch.com/story/high-end-art-sales-suffer-global-slump-2016-07-20（2020年7月1日閲覧）

＊14　ダウ工業株30種平均指数（正式名称）は、主要業種の代表的な優良30銘柄で構成される株価の単純平

均指数で、株式市場全体の動きを把握する時に利用されています。

＊15　左記を参考にし、一部引用しています。
「ＮＹダウ急落、過去最大の下げ幅　２９９７ドル安」、日本経済新聞、２０２０年３月17日
https://www.nikkei.com/article/DGXMZO56873660X10C20A3000000/（２０２０年７月１日閲覧）

＊16　NASDAQ Composite Index（正式名称）は、米国のＮＡＳＤ（全米証券業協会）が開設・運営している電子株式市場ＮＡＳＤＡＱに上場している３０００以上の銘柄全てを対象にして、時価総額加重平均で算出した指数です。

＊17　資産担保証券の一種であり、金融機関が事業会社向けに貸出をしている貸付債権を証券化したものです。

＊18　左記を参考にし、一部引用しています。
山崎元「コロナ暴落後の『驚異的な株価の戻り』をどう考えるべきか」DIAMOND online, ２０２０年６月10日
https://diamond.jp/articles/-/239719
「米ＦＲＢの電撃的金融緩和策、ドル調達・社債も支援く」Insights from UBS Asset Management, ＵＢＳアセット・マネジメント株式会社、２０２０年３月
http://japan1.ubs.com/am/doc/report/0316_FOMC.pdf（いずれも、２０２０年７月１日閲覧）

＊19　左記を参考にしています。
「モネのヴェネチア風景画の傑作、サザビーズの印象派オークションで圧倒的存在を示す」
Sotheby's, ２０１９年３月７日
https://www.sothebys.com/ja/articles/monets-venetian-masterpiece-triumphs-in-impressionist-auction-as-magritte-and-picabia-lead-surrealist-sale（２０２０年７月１日閲覧）

＊20　左記を参考にしています。

「印象派の過去最高額を更新。クロード・モネの《積みわら》が約122億円で落札」美術手帖、2019年5月21日
https://bijutsutecho.com/magazine/news/market/19838（2020年7月1日閲覧）

*21 米国・ニューハンプシャー州出身で、マサチューセッツの大学で美術史と音楽論を学んだ後、現在はニューヨークをベースに活動しています。時にフランシス・ベーコン（Francis Bacon, 1909〜1992年）やパブロ・ピカソを想起させる、動物と人間が合成されたキマイラ的頭部を有するポートレイト作品を最大の特徴としています。同作品は「ブルー・チップ」（主に価格面を評価した〝優良銘柄〟という意味）として、ここ数年アート市場で非常に高い人気を博しています。

*22 1924年イランに生まれたモニール・ファーマンファーマイアンは、1944年にニューヨークへと渡り、コーネル大学で美術を、パーソンズ美術大学で服飾デザインを学びます。ニューヨークで商業デザイナーとしてキャリアを積んだ後、1957年イランに帰国。その後60年代に母国の伝統工芸からその特徴的技法である、鏡による幾何学モザイクと硝子彩色技術に作品の着想を得て制作を開始。しかし、1979年のイラン革命により、祖国を離れ再びニューヨークへの亡命を余儀なくされます。再び帰国した2000年より亡くなるまで、アーティストとして精力的に作品制作に打ち込みました。欧米のメジャー美術館にも数多くコレクションされており、日本では東京都現代美術館が直径100センチメートルサイズの作品4点（いずれも2008年制作）を、2010年に購入しています。
右記については、左記を参考にしています。
「平成22年度新収蔵作品 購入」『平成23年度 東京都現代美術館年報 研究紀要』第14号、2011年、55ページ
モニール・ファーマンファーマイアン（会期：2010年11月6日〜12月11日）、OTA FINE ARTS TOKYO
http://www.otafinearts.com/jp/exhibitions/2010/post_1/（2020年7月4日閲覧）

＊23 米国・シカゴ出身のラッパー、音楽プロデューサーであり、ファッション・デザイナーです。グラミー賞に69回ノミネートされ、その内21回受賞を果たしています。

＊24 北京出身の劉は、北京芸術工芸学校・工業デザイン学科で学んだ後、働きながら1986年中央美術学院・壁画学科に入学。在学中にベルリンに渡り、1994年ベルリン芸術大学で修士号を取得、以後オランダや英国で過ごします。帰国後は政治的なメッセージや体制を揶揄する他の同世代アーティストと異なり、自己を投影したような少年や無垢な少女が登場するお伽噺のようなペインティングを創作し続けています。2019年10月6日サザビーズ香港で、彼の《烟（スモーク）》（2001〜2002年）が665万ドル（約7億3150万円）で落札されています。

＊25 本名はブライアン・ドネリーで、米国ニュージャージー出身。アーティストであり、グラフィック・デザイナー、ファッション・デザイナーそしてトイ・クリエイター。1993〜1996年School of Visual Arts New York Cityで学んでいます。眼が×印のキャラクターを用いた作品で広く知られ、ユニクロをはじめ、NIKEといったブランドと数多くのコラボレーションを行っています。

＊26 作品を量産すること、およびその作品を指す。同一の作品が複数生まれるという意味では版画や型取りによる鋳造も含み得るが、商品的価値保証のため、あるいは版の摩耗などの技術的理由による品質維持のために数量が限定されるそれらと異なり、特に限定数を決めることなく工業的に量産された作品をマルティプルと呼ぶ。後年になって希少価値が備わる場合はさておき、基本的に安価となるため作品を（「複製」ではなく「オリジナル」として）非常に広く流通させることができる。
右記は、成相肇「マルティプル」artscapeから引用しています。
https://artscape.jp/artword/index.php/マルティプル（2020年7月7日閲覧）

＊27 入札期間が短く、特定のテーマにフォーカスした作品に絞って開催されるオンライン・オークションを指します。

＊28 セルアニメ製作過程において用いられる画材である「セル」と呼ばれる透明フィルム（多くはトリア

セチルセルロース）に描かれた絵を指します。１秒間に８〜24枚のセル画を連続表示させることで動いているように見せます。

＊29　車田正美原作の漫画『聖闘士星矢』を基にした３ＤＣＧ作品（芦野芳晴監督、東映アニメーション制作）です。Netflix によって独占配信されています。

＊30　あたかも単一の国であるかのように、ＥＵ加盟国内で、人や物品、サービス並びに資金の自由な移動が可能な国境のない領域を指します（関税も撤廃）。

＊31　欧州自由貿易連合（ＥＦＴＡ）加盟国が欧州連合（ＥＵ）に加盟することなく、ＥＵ単一市場への参加を可能とすべく、１９９４年１月１日にＥＦＴＡとＥＵとの間で発効した協定に基づき設置された枠組みです。

＊32　１９９８年４月10日に英国とアイルランド間で締結された、北アイルランド紛争に関する和平合意。

＊33　北アイルランドとアイルランドにハードな国境を設けない「バックストップ（安全策）条項と、同条項を基に英国のジョンソン首相（Alexander Boris de Pfeffel Johnson，１９６４年〜）が策定した新提案により協議されています。

＊34　金銭（手形や小切手を含む）や有価証券、デリバティブ取引等における決済の円滑な履行を目的とした事業を行う機関。

＊35　左記を参考にし、一部引用しています。
広野彩子「ブレグジットでも金融センター・ロンドンは死なず」日経ビジネス、２０１９年４月12日
https://business.nikkei.com/atcl/gen/19/00005/040900017/?P=2（２０２０年７月11日閲覧）

＊36　左記を参考にし、一部引用しています。
Silla Brush「ＥＵ、ロンドン経由のデリバティブ決済を容認―合意なき離脱でも」Bloomberg，２０１９年２月19日
https://www.bloomberg.co.jp/news/articles/2019-02-19/PN5T676TTDSE01（２０２０年７月11日閲

覧）

＊37　ＥＵ加盟国のいずれか１ヶ国で認可を取得すれば、域内のどこででも金融業務を展開できる独自の制度。

＊38　左記を参考にし、一部引用しています。
斎藤彰「かくも現実乖離した米大統領の『コロナ危機』発言」WEDGE Infinity、２０２０年４月20日
https://wedge.ismedia.jp/articles/-/19378（２０２０年７月11日閲覧）

＊39　左記を参考にし、一部引用しています。
「中国企業、検査拒否なら米上場廃止　上院が法案可決」日本経済新聞、２０２０年５月21日
https://www.nikkei.com/article/DGXMZO59365720R20C20A5I00000/（２０２０年７月11日閲覧）

＊40　左記を参考にし、一部引用しています。
「米ナスダック、中国企業上場を事実上制限か…基準厳格化」読売新聞、２０２０年５月20日
https://www.yomiuri.co.jp/economy/20200520-OYT1T50191/（２０２０年７月11日閲覧）

＊41　左記を参考にし、一部引用しています。
「アングル：中国企業の米上場廃止、そのとき何が起きるのか」REUTERS, ２０１９年10月１日
https://jp.reuters.com/article/china-us-delist-idJPKBN1WG2IH（２０２０年７月11日閲覧）

＊42　左記を参考にし、一部引用しています。
Dave Michaels & Akane Otani「米が中国企業の監査に狙い、対立激化で市場に不安」THE WALL STREET JOURNAL, ２０２０年５月27日
https://jp.wsj.com/articles/SB12752724673931194131104586408343857544326（２０２０年７月11日閲覧）

＊43　左記を参考にし、一部引用しています。
Justin Sink, Jenny Leonard「トランプ政権、米連邦職員の年金基金による中国株投資阻止に動く」

Bloomberg, ２０２０年5月12日
https://www.bloomberg.co.jp/news/articles/2020-05-12/QA78KWT0G1KW01（２０２０年７月11日閲覧）

＊44　中国版ナスダックと呼ばれる、上海証券取引所の新興ハイテク企業向け株式市場です。

＊45　左記を参考にし、一部引用しています。
森記念財団・都市戦略研究所「世界の都市総合力ランキング」
http://mori-m-foundation.or.jp/ius/gpci/index.shtml（２０２０年８月10日閲覧）

＊46　アイルランド出身の英国人画家フランシス・ベーコンによる作品（１９８×１４７・５センチメートルの３点組）。２０１３年11月12日のクリスティーズ・ニューヨークで、アート作品としては当時の史上最高額となる１億４２４０万５０００ドル（約１４２億円）で落札されました。

＊47　左記を参考にし、一部引用しています。
「米６月の財政赤字、過去最大　92兆円、経済対策費膨らむ」共同通信、２０２０年７月14日
https://news.goo.ne.jp/topstories/business/goo/70edaddc3ecf18c60c5d266da1e1c9a1.html?fr=RSS&isp=00002（２０２０年７月14日閲覧）

＊48　左記を参考にし、一部引用しています。
「バイデン氏、中国との経済関係リセットへ　分断は非現実的＝顧問」REUTERS、２０２０年９月23日
https://jp.reuters.com/article/usa-trade-china-biden-idJPKCN26D2U3（２０２０年９月23日閲覧）

＊49　一国に共通する法律を意味し、12世紀後半ノルマン朝以来、イングランドの国王裁判所で判例が蓄積され、次第に先例として体系化された法分野を指します。

＊50　左記を参考にし、一部引用しています。
「周庭氏『収監の心の準備ある』香港公判で」産経新聞、２０２０年７月６日

https://sankei.com/world/news/200706/world2007060026（２０２０年７月７日閲覧）

＊51　冷戦期の「封じ込め」に代わる、クリントン政権による冷戦後の対中国政策を指します。米国の軍事的優位を前提に、中国の経済力増強を認め、対中貿易・投資を進めることで、米国の価値観が支配する〝国際社会〟に取り込み、それにより中・長期的な（中国）国内体制の変化を促す戦略です。

＊52　自国（地域）通貨と米ドルの通貨レートを一定に保つ制度であり、海外から自国（地域）への資本流入によって、経済成長を促すための制度といえます。

＊53　香港原産品には米国が課している対中制裁関税が適用されず、また、香港の市民は米国の査証（ビザ）の取得が中国本土よりも容易です。もしも、対香港優遇措置解除が実行に移されれば、アジアの金融センターとして君臨する香港の地位も揺らぎかねません。一方で、３兆円規模とみられる香港経由の中国対米輸出にも影響が及ぶため、米国企業への打撃も避けられないでしょう。
右記は、左記を参考にし、一部引用しています。
「米、香港の優遇措置を廃止へ ＷＨＯ脱退も表明」日本経済新聞、２０２０年５月30日
https://www.nikkei.com/article/DGXMZO59793000Q0A530C2000000/（２０２０年７月10日閲覧）

＊54　左記を参考にし、一部引用しています。
「香港『国家安全法』で使われたまさかの『裏技』」新潮社フォーサイト、２０２０年７月９日
https://jbpress.ismedia.jp/articles/-/61197（２０２０年７月10日閲覧）

＊55　左記を参考にしています。
「中美貿易戦引起的芸術品税收問題」、芸術市場通訊、２０１８年９月18日
https://news.artron.net/20180918/n1023397.html（２０２０年７月10日閲覧）

＊56　左記を参考にし、一部引用しています。
「TikTok、数日以内に香港市場から撤退 国家安全法施行で」REUTERS、２０２０年７月７日
https://jp.reuters.com/article/tiktok-hong-kong-idJPKBN2480CZ

＊57　「インド「中国製アプリ禁止」で TikTok に大打撃」、東洋経済 ONLINE、２０２０年７月10日
https://toyokeizai.net/articles/-/361403（いずれも２０２０年７月10日閲覧）
＊58　左記を参考にし、一部引用しています。
「アングル：香港国安法を投資家が歓迎、『本土資金』に期待」REUTERS、２０２０年７月２日
https://jp.reuters.com/article/china-hk-investment-idJPKBN2430GJ（２０２０年７月10日閲覧）
＊59　騰訊控股有限公司は、広東省深圳市に本拠を置く持株会社で、インターネット関連の子会社を通じSNS、インスタント・メッセンジャー、Web ホスティングサービスなどを提供しています。
＊60　一定の実績と信用を有する第三者独立機構が、国内・外の大手銀行と契約し提供する取引支援サービスを指します。
＊61　仕入から、販売に伴う現金回収までに要する日数を指します。資金効率を見るための指標であり、短いほど効率的であるといえます（今回のケースは、在庫作品が利益を生むため、従来の同サイクルに関する考え方を変える可能性を有しています）。
＊62　左記を参考にし、一部引用しています。
「前代未聞の事態。シンガポールでアートフェアが開催直前に中止へ」美術手帖、２０１９年１月17日
https://bijutsutecho.com/magazine/news/headline/19173（２０２０年７月13日閲覧）
＊63　左記を参考にし、一部引用しています。
「約25万ユーザーを記録。アート・バーゼルのオンライン・ビューイング・ルームがもたらした効果とは?-」美術手帖、２０２０年３月26日
https://bijutsutecho.com/magazine/news/market/21578（２０２０年７月13日閲覧）
左記を参考にし、一部引用しています。
「アート・バーゼルのオンライン・ビューイング・ルームが開幕。コロナ禍や反人種差別に関する作

品も登場」美術手帖、2020年6月18日

＊64 https://bijutsutecho.com/magazine/news/headline/22170（2020年7月13日閲覧）
左記を参考にし、一部引用しています。
「ルーヴル美術館が来館者数の最高記録を更新。2018年は1020万人が訪問」美術手帖、2019年1月8日
https://bijutsutecho.com/magazine/news/headline/19116
「How Beyoncé and Jay-Z Took the Art World by Storm in their New Viral Louvre Video」Frieze、2018年6月19日
https://frieze.com/article/how-beyonce-and-jay-z-took-art-world-storm-their-viral-new-louvre-video（いずれも、2020年7月13日閲覧）

＊65 アフリカ系アメリカ人に対する警察の残虐行為に抗議して、非暴力的な市民的不服従を唱えるアメリカの組織的な運動です。

＊66 左記を参考にし、一部引用しています。
「メトロポリタン美術館が入館料を義務化。50年ぶりの改定に見る美術館運営の現実とは？」美術手帖、2018年1月19日
https://bijutsutecho.com/magazine/insight/11008（2020年7月13日閲覧）

＊67 メトロポリタン美術館のコスチューム・インスティテュート（服飾研究部門）が、毎年5月に開催する企画展を祝うと共に、盛大なパーティーを行ってその収益金を寄付するチャリティ・ガラパーティー「METガラ」は、一晩でおよそ1350万ドル（約15億円）を集めます。
詳細は、左記を参照下さい。

前掲『現代アート経済学Ⅱ　脱石油・AI・仮想通貨時代のアート』109〜114ページ

＊68 米国の富豪サックラー・ファミリーは、世界各地の美術館や博物館、さらには大学、研究センターな

どに巨額の寄付を行う慈善事業で知られています。しかし、富の源泉であるオピオイド系鎮痛薬の過剰摂取による死者数は4万7000人、依存症患者数は（類似する鎮痛剤を含めて）170万人（2017年）にも達し、一族の責任を問う声は日増しに高まっています。他館に追随してメトロポリタン美術館も、2019年5月15日一族からの寄付を、今後は一切受け入れない方針を発表しています。詳細は、左記を参照下さい。

前掲『現代アート経済学Ⅱ　脱石油・AI・仮想通貨時代のアート』116〜118ページ

＊69 左記を参考にしています。

中村聖司「メトロポリタン美術館、『あつまれ どうぶつの森』に正式参入」GAME Watch, 2020年5月3日

https://game.watch.impress.co.jp/docs/news/1250763.html

「メトロポリタン美術館が #あつまれどうぶつの森 に参戦。40万点の作品画像が使い放題」美術手帖、2020年5月2日

https://bijutsutecho.com/magazine/news/headline/21830（いずれも2020年7月13日閲覧）

＊70 ルーヴル美術館「ヴァーチャルツアー」

https://www.louvre.fr/jp/visites-en-ligne?tab=1&dep=463&nrppage=15（2020年7月14日閲覧）

＊71 メトロポリタン美術館「The Met 360° Project」

https://www.metmuseum.org/art/online-features/met-360-project（2020年7月14日閲覧）

＊72 メトロポリタン美術館の分館で、マンハッタン北部のフォート・タイロン公園内にあります。フランスやスペインからもたらされた中世修道院の遺物を集めて作り上げられた建物自体が芸術作品であり、中世ヨーロッパの美術品約5000点が館内に展示されています。クロイスターとは修道院の回廊という意味です。

＊73 アスワン・ハイダムの建設により水底に沈む運命であった同神殿を、周囲の環境を再現したスペース

を設えて展示しています。

詳細は、左記を参照下さい。

前掲『現代アート経済学Ⅱ　脱石油・AI・仮想通貨時代のアート』106～107ページ

＊74
国立故宮博物院「720°VR National Palace Museum」
https://tech2.npm.edu.tw/720vr/museumen/views.html（2020年7月14日閲覧）

＊75
国立科学博物館「おうちで体験！　かはくVR」
https://www.kahaku.go.jp/VR/（2020年7月14日閲覧）

＊76
Mori Art Museum DIGITAL（MAMデジタル）
https://www.mori.art.museum/jp/exhibitions/mamdigital/index.html（2020年7月14日閲覧）

＊77
八景 デジタルアートキューブ
https://hachikei.com/index.php
アストロデザイン株式会社
https://www.astrodesign.co.jp/（いずれも2020年8月12日閲覧）

＊78
巨額な製作費や宣伝費を投入した野心的な大作映画や、ある種人工的に作り上げられたベスト・セラー本から転じて、同様の構造で開催される展覧会を指します。

左記を参考にし、一部引用しています。

＊79
「WhyKumano の『オンライン宿泊』を体験しました　和歌山」FootPrints、2020年4月8日
https://www.footprints-note.com/topics/5838/
圓岡志麻「和歌山の『オンライン宿泊』がウケている理由」東洋経済 ONLINE、2020年7月11日
https://toyokeizai.net/articles/-/361532?page=2（いずれも2020年7月14日閲覧）

＊80
左記を参考にしています。

「2019年の訪日客は3188万2000人で過去最高を更新。市場別では韓国のみ前年割れ」ト

ラベルWatch、２０２０年１月17日
https://travel.watch.impress.co.jp/docs/news/1229864.html#:~:text=JNTO
「２０１９年インバウンド消費４・８兆円、７年連続過去最高。ラグビー開催が消費増に寄与するも伸び率低迷」やまとごころ.jp、２０２０年２月３日
https://www.yamatogokoro.jp/inbound_data/36799/（いずれも２０２０年７月14日閲覧）

＊81　左記を参考にし、一部引用しています。
森ビル・チームラボ有限責任事業組合「MORI Building DIGITAL ART MUSEUM: EPSON teamLab Borderless《オープン１周年》世界１６０ヵ国以上から約２３０万人が来館」２０１９年６月20日
https://prtimes.jp/main/html/rd/p/000000002.000046076.html（２０２０年７月14日閲覧）

＊82　詳細は、左記をご参照下さい。
拙著『現代アート経済学』光文社（光文社新書）、２０１４年、２１８～２２３ページ

＊83　左記を参考にしています。
「金沢21世紀美術館 入館者数 最高の２５８万人 ２０１８年度」、日本経済新聞、２０１９年４月２日
https://www.nikkei.com/article/DGXMZO43239140S9A400C1LB0000/（２０２０年７月14日閲覧）

＊84　左記を参考にし、一部引用しています。
「入館者多過ぎて１カ月休みます　金沢21世紀美術館　券売機増設で対策」毎日新聞、２０１９年12月18日
https://mainichi.jp/articles/20191218/k00/00m/040/245000c（２０２０年７月14日閲覧）

＊85　Sejima and Nishizawa and Associatesは、妹島和世（１９５６年～）と西沢立衛（１９６６年～）による日本の建築家ユニットです。プリツカー賞、日本建築学会賞など受賞多数。代表作に金沢21世紀美術館（２００４年）や、ニュー・ミュージアム・オブ・コンテンポラリー・アート（米国）、ル

ーヴル・ランス（フランス）など。

＊86　「土佐赤岡絵金祭り」は、毎年7月第3週末の夜だけ高知県赤岡町の商店街で開催されます。同地の絵師・金蔵によるおどろおどろしい極彩色屏風絵を、蝋燭の灯りだけで展示するお祭りです。

＊87　左記を参考にし、一部引用しています。
「顔認証を使って地域全体でおもてなし　南紀白浜で始まった最新の地域活性化」business leaders square wisdom, 2019年3月26日
https://wisdom.nec.com/ja/collaboration/2019032601/index.html（2020年7月14日閲覧）

＊88　詳細は、左記をご参照下さい。
前掲『現代アート経済学』88～95ページ

＊89　当時全国一の出炭量を誇った三井三池炭鉱（福岡県大牟田市）で、1953年と1959～1960年に発生した人員整理に対する労働争議です。

＊90　東京都出身で東京大学経済学部を卒業後、大学院で美術史を専攻しています。戦前の前衛芸術、デザイン、漫画などを対象に評論活動を展開した評論家です。1956年静岡県清水市の鈴与倉庫入社後、鈴与労働組合が発行する『鈴與文芸』誌上で評論活動を行いながら、地域の若手アーティストと交流を深めました。

＊91　1960年代末から70年代初頭にかけて、木や石、鉄などの素材をほぼ未加工の状態で提示することにより、「もの」との関係性や「もの」への還元性を探ろうと試みた表現傾向に付けられた名称です。
主な同派メンバーは、関根伸夫、李禹煥、菅木志雄、吉田克朗、小清水漸、榎倉康二などです。

＊92　尾花基事務局長、森田俊一郎ディレクターのもと、桜井考身、オチ・オサム、石橋泰幸、小幡英質、大黒愛子、尾花成春、斎藤秀三郎、磨墨静量、宮崎準之助、山内重太郎、米倉徳、寺田健一郎の遺族、関係者で構成されています。また、田部光子については、みぞえ画廊（福岡）と連携しています。

＊93　Private Finance Initiative とは、公共施設などの建設、維持管理、運営等を民間の資金、経営能力お

よび技術的能力を活用して行う新しい公共事業の手法です。
右記は、左記から引用（一部筆者加筆）しています。
「ＰＰＰ／ＰＦＩとは」、内閣府 Web サイト
https://www8.cao.go.jp/pfi/pfi_jouhou/aboutpfi/aboutpfi_index.html（２０２０年7月14日閲覧）

＊94 左記を参考にしています。
「主要耐久消費財等の普及・保有状況」、内閣府『e-Stat 統計で見る日本』
https://www.e-stat.go.jp/（２０２０年7月14日閲覧）

＊95 左記を参考にしています。
四元正弘「『若者のクルマ離れ』に関する現状分析と打開可能性」公益財団法人国際交通安全学会『IATSS Review』Vol.37, No.2, 39〜47ページ

＊96 一例として、左記を挙げておきたいと思います。
堀好伸『若者はなぜモノを買わないのか』青春出版社、２０１６年
山岡拓『欲しがらない若者たち』日本経済新聞出版、２００９年
松田久一『「嫌消費」世代の研究　経済を揺るがす「欲しがらない」若者たち』東洋経済新報社、２００９年

＊97 原田曜平「『消費離れ』の20代、理由と本音はここにある」東洋経済 ONLINE、２０１５年10月30日
https://toyokeizai.net/articles/-/89997（２０２０年7月14日閲覧）

＊98 FRAMED*
https://frm.fm/（２０２０年7月14日閲覧）

＊99 VALL
https://vall.app/#home（２０２０年7月14日閲覧）

＊100 SaaS は、サービスとしてのソフトウェアの略です。つまり、サービス提供側でソフトウェアを稼働

させ、ユーザはネットワーク経由でその機能を享受・活用する仕組みです。また、plus a boxは、プラス機器提供を意味しており、全体ではクラウドによるソフトウェア＋コンテンツとそれを快適に利用するための機器提供をセットにして提供するサービスを指しています。

＊101　同社を運営するアマトリウム株式会社 代表取締役社長 丹原健翔氏へのインタビュー（２０２０年８月10日）によります。

＊102　詳細は、左記をご参照下さい。
前掲『現代アート経済学Ⅱ　脱石油・ＡＩ・仮想通貨時代のアート』１８６〜１８７ページ

＊103　Oculusは、仮想現実のハード並びにソフトウェア製品に特化した米国企業でしたが、２０１８年９月以降はフェイスブック・テクノロジーズの一部門になっています。
また、DoFとはDegree of Freedomの略で、ＶＲ体験で感知可能な方向の数（軸）を意味しています。従って6DoF機能とは、ヘッド・マウント・ディスプレイを装着した上・下・左・右・前・後の（頭の）動きに加えて、各方向への身体移動に対応する機能を指しています。

＊104　商品やサービスを、一定期間中に定額で利用可能な仕組みを指します。雑誌の年間購読などからはじまり、最近では音楽や動画配信にも用いられています。

＊105　左記を参考にし、一部引用しています。
「２０２０年 コロナ禍を受けたこれからの住まい意識・実態・ニーズ調査」株式会社オープンハウスWebサイト、２０２０年6月8日
https://oh.openhouse-group.com/company/news/news20200608.html（２０２０年7月14日閲覧）

＊106　左記を参考にし、一部引用しています。
牧野知弘『『大手町まで40分』の家選びは終わる！ポスト・コロナは〝郊外戸建て〟が勝ち組に」時事ドットコムニュース 文春オンライン、２０２０年7月1日
news.line.me/articeles/oa-rp89662/96701958od70（２０２０年7月14日閲覧）